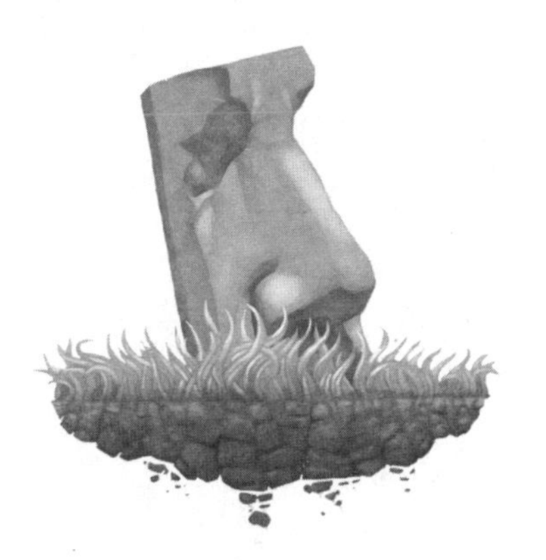

Татьяна Соломатина

От мужского лица

УДК 82-3
ББК 84(2Рос-Рус)6-4
С 60

Оформление переплета и иллюстрации *А. Попова*

Соломатина Т. Ю.

С 60 От мужского лица : рассказы / Татьяна Соломатина. — М. : Эксмо, 2013. — 320 с. — (Акушер-ХА! Проза Т. Соломатиной).

ISBN 978-5-699-60408-1

Танюша, твоя маленькая повестушка про рисовальщика — очень и очень поэтичная, умная проза и психологически достоверно мужская, что придает крепость искусству перевоплощения. Надо полагать, в той жизни ты была мужиком, а перебор с куревом и пьянью убеждает меня в правильности оной гипотезы.

Читал с интересом и удовольствием, хотя книгами я уже обхавался почти до несварения букв. Короче, поимел аппетит и умял под мысленную кружку эля.

Юз Алешковский

УДК 82-3
ББК 84(2Рос-Рус)6-4

ISBN 978-5-699-60408-1

Мужу и дочери

Рисовальщик

«Чуть сходят снега, выбираемся в деревню. В старый дедовский дом.

Участок низкий, неприютный, у самого леса. Только дальний угол его, где одиночкой растёт дуб, повыше. И солнышко туда чаще заглядывает. До обеда — через просеку. Потом уже и поверх молодой берёзовой рощицы. Ни грядок, ни цветов. Чистенькая поляна из соломенных клубков свалявшейся травы. Сверху она подсыхает быстро — и так и тянет прилечь. Как на лоскутную попону, что на печи в доме. По ночам ещё подмораживает, и дед подтапливает печь и запаривает гречку в чугунке. С подсолнечным маслом и сушёным укропом. У него очень вкусно получается.

Ходишь к дубу, мнёшь траву руками — под ней ещё хлюпает. Ни сесть, ни лечь. Сразу мокрый будешь. Только у самого ствола, где корневища, ещё можно кое-как притулиться.

Солнце пригревает каждый день, но вода не уходит. Промёрзлая земля не пускает. Если б ветерок — быстрее бы дело пошло. Да разве дождёшься тут, под лесом-то! С виду поляна уже совсем сухая. Хочется прильнуть, надышаться соломенным запахом, а то и покемарить чуть. Такие сны яркие и весёлые здесь, под дубом. Особенно если днём, после обеда. Закроешь просто так глаза — и вроде и не тянет совсем в сон. Мысли всякие. Лето скоро. Не сразу, конечно. Сначала верба запушится. Потом лаковые листочки на берёзах повыскакивают в одну ночь. Или это только так кажется, что в одну?.. А потом как взлетишь над незнакомыми холмами! И стены крепостные с башнями. Флаги развеваются, хлопают на ветру. Потом всё громче и, кажется, уже в такт... Глаза распахиваются сами собой. Дед дрова колет. «А ну-ка, хватит бездельничать! — кричит. — Заноси в дом, складывай у печи, пусть подсохнут». Буркнешь что-то в ответ. И только услышишь, снова закрывая глаза: «Вот паршивец!» А крепостных стен среди холмов уже и след простыл. Лес какой-то чудной вместо них. Ветвями, как лапами, в землю упирается. А самой земли и не видно. Черно всё. Страшно... Глаза разлепишь, как через неохоту, вот она поляна. Солнечная, лоскутная. Ну когда же, когда?! Когда холод и сырая хлябь уйдут туда, где им и положено быть, — в землю? Этого ждёшь с остервенением. Прям до дрожи. Как будто податься больше некуда. И правда, некуда. Кругом слякоть одна. Дорожки в грязном месиве. Самым утром ещё ничего, если ночью морозец пристукнет. Но чуть солнце пригреет, даже и через тень, тут же потекло. Не удержишься, бывало, встанешь на колени, разгребёшь сверху подсохшую листву, а там жёлудь. Чистенький, и шляпка-берет крепко держится. Потемневший, но целый, не потресканный. Мать ругается — ей штаны-то стирать. А что стирать? Это же земля да вода. Ничего брезгливого. Но не объяснишь...

Никогда не дожидаемся. Родителям надо в город. А с дедом меня в это время одного в деревне не оставляют. Не знаю почему. Вот потеплеет, говорят, соберёмся как следует... И чего им нужно всё время «как следует» собирать? Теперь только в мае. Я знаю. Тут всё уже совсем другое будет. Дед на поляне граблями листву сгребёт, жухлую траву причешет. И только он один будет видеть, как выбивается новая. Сначала еле заметными отдельными стрелками зелени. Потом — пятнами. Позже вся соломенная поляна превратится в рваное зелёное одеяло, пока новая трава ещё не подрастёт и не ляжет, шёлковыми косами сглаживая неровности и приговаривая к неизбежному гниению старую. Дуб распушит крону. Но он высокий и не будет мешать солнцу согревать моё любимое нежное травяное ложе. Если лечь на спину, поближе к стволу, ощущение, что ты под крышей дома. И в то же время снаружи. Открыт тёплому ветру и солнцу.

Родители как всегда отправятся в свой традиционный поход на байдарках. Отец потом будет показывать слайды через проектор, повесив простыню на стену, как экран. И напечатает много чёрно-белых маминых портретов. Мама на них очень красивая.

Пока их нет, мы с дедом отпразднуем мой день рождения. Пойдём на реку наловить окуней, а потом, вечером, разожжём большой костёр и зажарим их на ивовых прутьях. Дед разведёт мне целую банку морса из запасов черносмородинового варенья, а сам выпьет «беленькую». И, взяв в руки картонку или обрывок ватмана, в свете костра карандашом нарисует мне мой день рождения. И окуней, и костёр, и крону дуба под звёздным небом. И даже меня. Нарисует, даст мне налюбоваться, спросит: «Запомнил?», а потом заберёт и бросит в огонь. Себя он почему-то никогда не рисует. Только рассказывает. Много рассказывает. Про войну. Про лес. Про то, почему «она» ругает меня за грязные штаны, и про то, что байдарки — дело опасное для четырёхлетнего пацана. А мне, между прочим, этим летом уже пять будет...

Первый раз это произошло во вторник. Даже сейчас я помню это очень хорошо.

Мне уже шесть. Наташке, что живёт этажом ниже, прямо под нами, — столько же. Мы сидим на скамейке у подъезда и ждём, пока кто-нибудь из родителей вернётся с работы. Тогда можно будет отпроситься погулять в парк. Как обычно. Благо до него совсем недалеко.

«Мороженого бы сейчас!» — мечтательно говорит Наташка. Очень жарко. Я шарю в карманах шортов — только три копейки. Мало.

Наташка мне очень нравилась. Такая вся кругленькая, как плюшевый медвежонок. С жёсткими чёрными кудряшками и огромными глазами, распахнутыми как ромашки. В шесть лет влюбляешься, как щенок. И ведёшь себя соответственно. Поэтому я взял и нарисовал ей мороженое.

Когда рисуешь, карандашами там или гуашью, получаются только очень странные собако-медведи, ракето-ёлки, солнце-колобки и кувшино-яблоки. Что очень любят училки в изостудиях для подготовишек. Особенно последнее. Но это всё не то. Я уже тогда знал. И даже больше того. Я уже тогда знал, что если кто-то постоянно рассказывает и показывает тебе «как надо», то такое «надо» на самом деле никому не надо. Просто всем так удобнее. Но рисовать по-настоящему можно, только если очень хочется. Как будто ты влюбился. А ещё лучше — взаправду влюбиться.

Наташка мне очень-очень нравилась. Мороженое получилось — закачаешься! Крем-брюле в вафельном стаканчике — наше любимое — с розочкой поверх. Ледяное — как только из лотка. И большое. Одной рукой не ухватить. Я всегда знал, что стаканчик крем-брюле должен быть именно такого размера — как ведёрки для куличиков у малышни. Да это все понимали. Просто выбора не было, вот и мирились. А мне-то что! Что хочу, то и рисую.

Наташка глаза вылупила. Прямо остолбенела на миг. Следом расплакалась и домой убежала. Испугалась. А чего такого-то? Правда, я и сам расстроился так, что словами не передать. Когда взрослые чего-то не понимают или обижаются из-за какой-нибудь ерунды — это нормально. Они другие. Большие. Где-то там их взрослый большой мир, откуда они приходят иногда, говорят всякие сложные слова, наверное, из тех толстых и неинтересных книг, каких у них полно, делают что-то, настаивают на чём-то. Но когда кто-то из своих... Это странно. И очень неприятно. Огорошивает. Так что я посидел ещё немного один. Думал, идти в парк или нет? Ничего не надумал. Потом съел мороженое. Жарко же.

Вечером мне от моих попало. За то, что у Наташки случился «солнечный удар» и «галлюцинации». Мол, всё из-за того, что я «болтаюсь неизвестно где» и её за собой «таскаю». Это неправда. Во-первых, известно где. А во-вторых, она сама «таскается». Можно подумать, кто-то кого-то заставляет, когда дружишь! И что это такое — «галлюцинации»? В общем, с Наташкой стали редко видеться. Как-то так само получилось. Взрослые умеют это делать — чтобы всё как будто само собой выходило. Но не всё, что они из этого «само собой» выделывают, получается хорошо. Лично для меня после того дня само собой вышло, что я испугался. Не то чтобы там, а просто подумалось вдруг: «Если какое-то несчастное мороженое человека может так расстроить, то что бы случилось, если бы я дирижабль нарисовал?!» Хотя при чём здесь дирижабль? Наташка дирижабль бы ни в жизнь не захотела! Но ведь она много чего могла захотеть. Чего там девочки обычно хотят? На Луну полететь. Нет. Это тоже мальчики. Ну, например, чтобы зима пришла немедленно. Санки там, в снежки поиграть. Ну и что? И нарисовал бы. И не замёрзла бы она у меня той зимой в своём летнем платьице! Что я, дурак, что ли, совсем? Шуба, шапка, валенки — всё было бы, как положено. Не в этом дело. Просто вид у Наташки, когда я мороженое нарисовал, был такой, что я не захотел, чтобы ещё у кого-нибудь когда-нибудь был такой же. Я испугался, что ещё могу кого-нибудь так испугать. Вот. Это, наверное, будет самое правильное объяснение. Просто не захотел. То есть перестал хотеть. А разве можно что-то делать, если не хочешь?

Понадобился от силы год, чтобы понять, что, да, можно. Запросто можно что-то делать, даже если ты этого не хочешь. В школу ходить, когда не хочешь. Уроки какие-то дурацкие делать, когда не хочешь. Не смеяться, когда смешно. И плакать, когда не собирался. Жизнь — это какое-то совершенно непонятное несоответствие желаемого действительному. Почему так?

Как-то раз, разыскивая свой мешок со сменкой в джунглях раздевалки, я ругался и бурчал себе что-то под нос, когда был прихвачен за ухо нашей старенькой, ужасно противной уборщицей. Она поволокла меня в кабинет к директору и сказала, что я обругал её нехорошим словом на букву «б». «Никого я не ругал!» — объяснял я нашей директрисе. А если и буркнул что, так уж точно не то слово, а совсем другое. Оно, конечно, тоже на «б», но у нас все так ругаются. Блин! Я тогда ещё не знал, что значит «оправдываться». Впервые почувствовал себя в этом состоянии сознания. Это было очень неприятно. Директриса ругалась, кричала, что прямо сейчас вызовет с работы моих родителей, а глупая старая уборщица стояла, ухмыляясь, и просто ждала, когда будет вынесен окончательный приговор. Я всего лишь хотел, чтобы мне поверили. Это же так просто — поверить и понять, что всё, что сейчас происходит, — его на самом деле нет! Но всё продолжало происходить. И тогда мне стало очень обидно. До такой степени, про которую взрослые говорят «больно до слёз». И странное бесконтрольное желание вылезло откуда-то изнутри меня в мир. И я нарисовал. Я рисовал ярко и красиво. Как видел в книжках с репродукциями старых художников, что стояли на одной из полок у отца в кабинете...

Огонь рвал стены каптёрки, где уборщица хранила свои вёдра и швабры. Он обрушивал потолок и бил стёкла в окнах. Он уже готов был ринуться к небесам, как из жерла Везувия, но... тут непонятное чувство, очень похожее на злость, только ещё злее, ярче и чище, ушло. Я перестал рисовать. И понял, что стою вместе со всеми учениками на улице. Из окон на углу первого школьного корпуса — там, где кабинет труда и каптёрка — валит дым. Вокруг шум, гам, крики учителей, вой сирены пожарки, вносящейся во двор со стороны задних ворот. Директриса вся всклокоченная, уборщицы вообще нигде не видно... В общем, ужас какой-то! Когда всё это успело произойти?

Нас всех отправили по домам. Но вечером училка звонила родителям и говорила, что занятия не отменяются, пожар был каким-то там «локальным» и вообще практически ничего не пострадало.

Про меня забыли. И про мой ворчливый «блин», не такой плохой, как другое слово на «б», тоже. Я и сам об этом забыл. Обо всём, кроме странного ощущения провала во времени и того яркого чувства, что было во много раз сильнее обычной злости или обиды. Это оставалось со мной долго. Лет до двенадцати, насколько я сейчас могу припомнить. До того самого зимнего вечера в парке, когда я, прогуливаясь и размышляя о всякой всячине, наткнулся на брошенный кем-то незатушенный костёр. Было холодно. Пока идёшь — ещё ничего. Но стоит остановиться на пару минут, и морозный сквозняк быстро забирается под одежду. Поэтому угольно-красный зев чужого огня показался мне в тот момент каким-то совершенно фантастическим подарком. Прибежищем для моих одиноких блужданий и мыслей. Присев с этим чувством на пенёк поближе к костру, я отдался фантазии. Знал ли неизвестный странник, что тепло разведённого им огня коснётся другого странника? Предполагал ли? Вряд ли. Но какая-то странная связь была во всём этом. Чем дольше я сидел, тем ближе и роднее мне становился не только жар углей с редкими сполохами пламени, но и ветер, и чернеющие громады дубов старого парка, и сама ночь с её безвременьем, и я сам... Да. Именно я сам вдруг стал ближе к себе, чем когда-либо раньше. Это было чудесно. Картина того вечера поглотила меня. Но не растворила, как бы это мог теперь сказать я —

взрослый. Я просто первый раз почувствовал себя дома. Во всех возможных смыслах этого состояния. Включая распоследний философский. И как истинная картина мира, она лишь казалась неподвижной, статичной. На самом деле она парила. И я знал это тогда. Знал. И желание, естественней которого просто немыслимо было представить в тот момент, заставило меня нарисовать. Это просто, когда знаешь. Это всегда холодком на кончиках пальцев. Я рисовал себя, впервые понимая, что делаю. Я парил. Вместе с хулиганским ветром. Среди кряжистых ветвей. Над алым пятном пламени в снегу. Под быстронесущимися облаками ночи. В моём парке посреди огромного города... Нет. Никогда не забыть мне такого — как, лёжа на струях ветра, трогать мёрзлую кору дубов. Как, поднимаясь над раздетыми кронами, понимать, что власть земли и корней ничуть не больше власти порыва и стремления...

Дружелюбный огонь неизвестного странника оставил свой след. Предначертания. Вот что не отпускало меня следующую пару лет. Именно столько понадобилось, чтобы понять: истинные желания обречены быть исполненными. Но насколько это трудно и редко — действительно желать чего-то.

«Я хочу эти чёртовы штаны!» — орал я на своё отражение в зеркале накануне тринадцатилетия. И я, правда, хотел такие же джинсы, какие приволок

Витьке-однокласснику из плаванья его отец. Я не понимал. Совсем не понимал, почему, когда я действительно хочу, не вздрагивает холодный огонь на кончиках пальцев? Я не мог рисовать. Это уравнивало в моём сознании вожделенные джинсы с кувшино-яблоками, на которые мне всегда было наплевать.

«Я могу быть солистом! Уж в любом случае получше, чем эта бездарь, способная выдавать только пошлую бредятину собственного сочинения под срисованные с Led Zeppelin соляки́!» — шипел я в подушку, перед тем как заснуть. Мне надоела бас-гитара. Вечно на втором номере! И всё равно я не мог рисовать. Даже близко не оказывался рядом с тем ощущением, когда волокна вещества жизни и времени безупречно смешиваются на палитре — и рождается картина. И это я! Который мог сотворить для предмета своего сердца, чего бы она ни пожелала. Да хоть бы и дирижабль! Тот, кто мог породить стихию ярости. Тот, кто оторвался от земли! На черта нужен дар, который неподвластен мне и проявляет себя, когда захочет?! «Когда соблаговолите приступить?» Разве спрашивает художник у красок и холста? Чушь! Желания сыпались из меня, как из рога изобилия. Но ни одно из них не смогло родить холодный ток на кончиках пальцев. И в конце концов не осталось места, где я хотел бы быть. Разумеется, я не понимал тогда, что это касалось только тех мест, чувств и мыслей, которые уже были мне известны. Бежать! Бежать безоглядно — только это пульсировало внутри. И... огонь зажёгся. Холодный огонь на кончиках пальцев.

Я рисовал неистово, почти безумно. Я перестал помнить всё, кроме того, что ноги должны идти. Всё моё естество сосредоточилось в опорно-двигательной системе тела. Я жил ею. И в то же время ждал перемен. А кто не ждёт? Даже в самом страшном угаре безумия.

Я рисовал один пейзаж за другим, испытывая чувства древнего человека, который решился наконец покинуть насиженное его племенем стойбище и отправился в неизведанные земли. Теперь понятно, почему они считали землю центром мира. Да обыкновенная смена климатических зон уже не оставляла выбора воображению! Масштабы границ сливались с масштабом восприятий и с несоразмерностью затраченных на их постижение усилий. И как результат — ближайшая самая высокая гора — центр мира. Понятно. Центр там, откуда можно оглядеться. А всему остальному нет ни конца ни края. Но любая бесконечность последовательна. И состоит из вполне себе конечных вещей.

Вот таёжная глушь в знойном мареве гнуса. Липкий пот. Голод. И свежесть спокойной реки. Пара рыбин, зажаренных на костре, — и снова в путь.

Пустая выжженная долина, ущелье, разбитое селями, перевал, где индевеют ресницы и стоптанная обувка соскальзывает с ледяной корки на краю бездны...

Пустошь. Кресты. Почерневшая дранка приземистых крыш. Хлипкие огоньки света среди царства чёрных одежд. И пытка добровольным отказом даже от ожидания перемен...

Гладь до горизонта и ярость солнца. Призраки воинов и запах верблюжьей шерсти...

Тугой пластилин воды, сковывающий движения усталостью и отчаянием. И попутный бриз, когда ты на волне...

Но мне нет места среди мест.

Холодные токи иссякают. Руки опускаются, и пальцы чувствуют прохладную влагу песка. Волга. Простая, как всё русское. Широкая, как орда. Дремучая людьми и открытая безбрежьем небес, под которыми живёт...

Нет. Вот только теперь. Сейчас. Холодный огонь погас. И пальцы впились в гриву волос...

Шесть месяцев непрерывного откровения, стоптанные каблуки ботинок и огрубевшие руки. Меня, оказывается, искали! Сначала испуганно спрашивали, что случилось? Потом — гневно ставили в упрёк. Потом в назидание. А потом как-то там уладили со школой и плюнули. А что я мог им рассказать? Как мы с жившим неподалёку степным орлом, прогуливаясь по накатанному водой дну сая[1], рисовали друг

---

[1] Сай (*тюрк.*) — сухие русла временных водотоков, а также галечные наносы пересыхающих рек, балки, овраги в пустынных районах Средней Азии и Казахстана.

друга наперегонки. Кому это интересно? Я снова дома. Но стены комнаты больше не давят. У меня своя. Родители устроили обмен. Я уже взрослый. Да. И мне всё ещё нет места. Но теперь это не волнует меня. Я и раньше делал то, чего мне совершенно не хотелось. Почему бы не делать это и дальше? Всё равно я уже стар как мир. Нарисованное мной — это я. И я не просто стар. Я дремуч, как Святогор. Подойдите ближе, новые богатыри, я расскажу вам, на что не стоит посягать...

Я старел с каждым днём. И к пятнадцати уже, казалось, должен был принять все представления о потустороннем покое. Казалось бы. Но глупое провидение. Дурацкое! Которому абсолютно наплевать на то, что оно вытворяет, — лишь бы тешить себя и дальше. Оно выкинуло свой излюбленный козырь. Я влюбился.

Бог мой! Только руки художника способны на такое! Без пяти минут вросший по плечи в землю-матушку артефакт — и вот уже я маленький зелёный огурчик, только народившийся из соцветия. Крепкий и беззащитный.

Но нет! Я впервые не дал себе воли. Холодный огонь струился с кончиков пальцев, как кровь из глубоких ран. Он растекался под ногами, заполонял собой всю мою небольшую комнатку в отчем доме, выбегал за порог, за дверь квартиры, вырывался...

Он хотел всё сделать сам. А мне было даже смешно смотреть на жалкие потуги случайно упавших на холст красок создать картину. Я трепетал и купался в ожидании. Я очистился до игры света богемского хрусталя. Но не позволял себе рисовать.

Её звали Алла. Мне никогда не нравилось это имя. Но это всего лишь имя, подумаешь. Она многим нравилась. И ей нравилось нравиться. И за этим что-то стояло. Остальным было не понять. Они шли за этим «чем-то», как крысы за дудочкой Нильса. А я знал. Не мог объяснить, но знал. Это сейчас я понимаю, что, как и остальные, выдавал за знание свою уверенность. Но тогда я просто знал. И этого было достаточно. И тем нетерпеливее становилось ожидание. И тем слаще становилось нетерпение.

И тем глубже сладость проникала в меня. И когда желание уже готово было меня убить — лишь бы вырваться на свободу, — я позволил себе первый штрих. Так. Намёк. Несколькими линиями. Не облекая в сюжет. Опасаясь мастерства. Чтобы не напугать. Чтобы больше никогда не увидеть того ужаса в Её глазах...

Но ужас — коварный дрянной шакал! Не найдя возможности пристроиться в ожидаемом месте, он плюхнулся всей своей тушей в первые попавшиеся распахнутые, как калитка на ветру, глаза. В мои глаза.

Глазами ужаса я впервые видел, как плоть сладостно терзает плоть. Там, где должен был быть я — за несколькими изящными штрихами. Там — в двух движениях от конца ожидания. Там оказался Витька-одноклассник. И тут же крупными, яркими, масляными мазками — её груди, развесистые, как спелый крыжовник. И струйки пота из-под мышек и по вискам. И сводящий с ума запах стремительно разлагающегося желания... Там. Через окно, в которое я по привычке заглянул, прежде чем зайти. На даче Витькиного отца, где мы договорились встретиться. Мы с ним дружили. По-настоящему. А теперь — кто знает? Или это всё просто такая игра — «дружу — не дружу»? И разве не Витьку я хотел набросать твёрдым штрихом на этой же картине своего желания? Просто не успел. Не с того начал? Но это было правильно! Всё было так правильно! Было.

Я стоял и смотрел, а ужас сидел в моём теле, как в крынке с молоком, и лакал. И я не мог его остановить. Он вылакал всё до конца. И ушёл. А я — пустой гулкой посудой — остался. Нет. Не там, под окном. Просто остался. Как никому не нужная, вышедшая из обихода вещь.

Холодный огонь на кончиках пальцев иссяк. Но тот, что уже вылился, не найдя воплощения, не исчез. Он сгустился. Стал походить сначала на мутные лужи. А потом — на смердящую зловонием грязь. Которая, как в глупом фантастическом фильме, бесформенной биомассой сползалась обратно ко мне отовсюду, заполняя вылаканную ужасом крынку. Пока не заполнила меня целиком. Тогда — всё вокруг опустело и превратилось в бесконечный сон. А я превратился в нарыв, откликающийся болью при малейшем прикосновении.

Разве мог я знать тогда, что тот ужас, вылакавший меня до дна, — он даже не зверь. А всего лишь недовызубренный когда-то урок химии.

И лишь мой мозг, оберегая себя от нашествия орды гормонов, нашёптывал мне вечерами: «Зачем боялся? Чего тянул? Что кто-то из них увидит, как ты рисуешь? Да как же им не увидеть, если ты всех без разговоров пускаешь внутрь себя! Не пускай! Бери от них, что хочешь, и не оглядывайся. Их смех — обман. Их плач — ловушка. Их спокойствие — сначала обман, а потом — ловушка. Рисуй им мороженое — и хватит с них! Истинное искусство — не для всех. Оно — для самого творца. А остальным — что останется».

В летнем трудовом лагере, под раскидистой жёлтой черешней, нарыв лопнул.

Её звали Мила. И мозг подсказал мне, что в этом случае можно обойтись даже без мороженого. Зачем что-то рисовать, когда её голова на твоей груди, а твои руки на её бёдрах, и от ящиков, полных спелых плодов, — слабый запах смолы, и полудрёма наломавшегося от работы тела сама регулирует порыв... Крынка опустела. Ядовитая биомасса вылилась из неё, издавая сладкий запах пота и покой. И разум, на правах старшего по званию, в пару приёмов занял собой всё ранее ему не до конца подвластное пространство, упредив нерасторопную влюблённость и не дав ей ни шанса. Ни ей, ни тем более ничему большему, кроме пряного аромата обыкновенной похоти.

Год пролетел где-то за кадрами плёнки с простыми и суровыми умозаключениями. Чисто по-мужски. Там же, в стрекоте проектора, растаяла милая Мила. И звонкая нервная Ирка. И боязливая томная Женька... Плёнка всё стерпит. Она трещит в проекторе и показывает. Трещит и показывает. А потом уже просто трещит. Потому что все спят. И всё спит. И только разум — агрессивный страж своих владений — следит, чтобы никакая случайность не вывела из анабиоза истинные желания. Ведь тогда ему придётся потесниться перед тем, что умеет рисовать.

А потом школьные двери закрылись за спиной в последний раз. И все мы, кто так долго против своей воли или вовсе без воли были вместе, оказались поодиночке там, где, может, и не все предполагали оказаться. И на смену игре «дружу — не дружу» пришла другая: «Зачем?» Игра, приступить к которой можно было, лишь установив правила. Свои. Но никто не знал, как это делается. Не было такой дисциплины на выпускных экзаменах. Поэтому для многих дальнейшая жизнь так и сложилась — из недоумения, сдобренного неуверенностью в себе, и бесконечных попыток выбрать правила игры, приготовленные другими, более удачливыми. Но это как в покере — тебя долго будут водить за нос, пока не отберут всё. Морлоки всегда съедят своего элоя. Технология всегда будет свысока с усмешкой смотреть на браваду развевающихся знамён. Уэллс — гений. А читатели — идиоты! Их опять обманули. Красиво. Талантливо. А они и рады дурацкой надеждой кормить свои сомнения. Но я был среди тех, кто не верил. По крайней мере, так мне тогда казалось. Или, точнее, так считал мой разум. Морлок. Система была пределом его мечтаний. Он строил её, очень уставал и постоянно хотел есть...

И я не вылезал из книг.

Два года? Три, пять? Там, за пределами обложек с фамилиями классиков, я поступил в институт. Всё по правилам: «Нужно учиться». Нужно — значит, учимся. «Мужчина должен уметь зарабатывать». Хорошо. Вот, пожалуйста. «Мужчина должен зарабатывать больше». Как скажете. Это несложно. «Мужчина должен знать...» «Мужчина должен уметь...» «Мужчина должен». Всё. Квинтэссенция. Неинтересно. Отчий дом и бесконечные отражения подобных вокруг исчерпали себя. Кому интересно — на здоровье. А по мне, так играть по правилам можно и не играя. Всё равно все спят. Нетрудно, прикинувшись сонным, или урывками, где-нибудь в недоступном для начальства углу на работе, на лекции, по ночам в постели, за завтраком, в лифте, в метро — читать. Ремарк, Хемингуэй, Сэлинджер, Сартр, Ежи Лец, Гурджиев, Лем, Апдайк, Вольтер, Монтень, Ницше, Рабле, Алигьери, Фаулз, Честертон, Толстой, Достоевский, Бунин, Тургенев, Платонов, Пруст, Теккерей, Диккенс, Гофман, Драйзер, Фолкнер, Флоренский, Платон, Кафка, Гоголь, Соловьёв, Воннегут, Гёте, Брэдбери, Шаламов, Азимов, Шекспир, Золя, Норберт Винер... Ни конца ни края. Я принимал чужие правила одно за другим. Разум лукаво подсовывал мне дотошные объяснения, поглощая так необходимую ему пищу. Но ему всё было мало. Система разрасталась. Интегрируя в себя всё. С какого-то момента стало не так просто договариваться с собой. Появилась необходимость фиксировать. Письменно. Со стороны могло показаться, что я, как говорится, «взялся за перо». Но это глупо — держать что-то в руках, если для того, чтобы рисовать, нужен только ты сам. Но система ещё не была совершенной, по моему мнению. И ещё не была в состоянии по собственному желанию запустить механизм «холодного тока на кончиках пальцев». Это и была цель разума — описать и использовать механизм. Какие-то заметки, размышления, рифмы. Я думал, это поможет систематизировать. Обобщить. Но они помогали только на подходах.

А дальше всё это начинало напоминать психиатрический диагноз. Я достаточно быстро выяснил, что никто на самом деле не берётся за перо для себя. Вруны и жульё. С какого-то момента начинаешь думать, что это представляет какую-то ценность. Чушь! Навешивать кому-то чужие правила, сам понятия о них никакого не имея, да ещё в письменной форме — это дикость. Интеллектуальное варварство какое-то. Задавить. Подчинить. Возглавить. Вот алгоритм писателя. А дальше? А дальше — истинных намерений уже не спрятать. Вот и получается — жульё! Да не только с писателями так. Со всеми, наверное. Химия не приходит со страниц с типографским шрифтом. Она может туда попасть. Но она там не рождается. Она рождается и живёт за пределами цветных и казённых обложек. Книги — мертвечина. Ловушка для недостаточно внимательных. А химия — единственное, что позволяет мириться с тьмой и сном. Она провоцирует и заставляет верить, что в те редкие моменты, когда мы просыпаемся, — мы делаем это по собственному усмотрению. Она замещает искренность в наших плешивых желаньицах. Но замена никогда не бывает равнозначной. Поэтому мы несчастливы.

Разум не справился. Несколько лет мучений, тонна въедливо, с карандашом вычитанных книг и ящик комода, чуть не до верха забитый блокнотами, тетрадками, листами и даже картонками с писаниной. Но ему так и не удалось заставить меня поверить в то, что я счастлив. Или когда-нибудь смогу таковым быть.

Разум жаждал крепости. А вместо этого столь трепетно создаваемая им система, обрастая условностями, как ком мокрого снега, достигла критической массы — ком не то что поднять, его нельзя было уже сдвинуть с места. Вместо свободы я оказался прикованным к безмерной тьме собственных заблуждений. Тогда и вынырнуло вновь это чувство — что злее, чище и ярче злости. Огонь зажёгся. И разметал оковы. И я как будто в отместку самому себе нарисовал простую условную сетку двумя-тремя цветами. Пяток простых правил и... «кто не был, тот будет, кто был — не забудет семьсот тридцать дней в сапогах». И взвывший поначалу разум отступил. Сдал часть позиций. Присмирел. Что за толк орать, если твои слова не принимают в расчёт? Так он учился смирению. А я — сну в полглаза и курить в кулак. Он пытался определить границы несвободы. А я, поворачиваясь спиной к ограждениям, уходил от него в бесконечную внутреннюю даль, оставляя рукам и ногам возможность самостоятельно совершенствовать рефлексы. «Сон во сне» — так я назвал свою картину, ещё до того, как она была закончена. Она была полна беспредметным ожиданием и относительным внутренним покоем. При этом пестря яркими красками. Она нравилась мне. Простотой гротескных сюжетов и переходами между снами. Она сама вела меня. Но ей не суждено было стать законченной. В тот день, зажатый вместе со своим отделением в теснине красноватых скал и камней, я бросил рисовать её. Я оставил это полотно, по стилю напоминающее Руссо, ради одного-единственного офорта.

Из узкого ущелья было только два выхода — в пекло и в никуда. Ребята рвались в пекло. И это было понятно. Примитивизм картины не оставлял выбора. Поведи я их туда — и картина стала бы законченной. Холодный ток на кончиках пальцев иссяк бы. И кто знает, с чем бы пришлось столкнуться лицом к лицу после этого? И я повёл их в никуда. С неведомым мне доселе чувством я бросил картину и выплеснулся чёрной тушью на белый лист чужих жизней... Через сутки нас подобрали. Госпиталь поставил последний штрих на странном офорте. Меня комиссовали по ранению.

Сотни тысяч школьников писали в своих сочинениях про «голубое небо Аустерлица». Тонны тетрадок и черновиков ушли макулатурой на вторичную переработку. И скорее всего, среди разветвлений целлюлозы, из которых слеплена страница, на которой я сейчас пишу, есть часть с их банальными рассуждениями, навязанными учителями, пособиями по написанию «чтохотелсказатьавторского» и прочим педагогическим и критиканским маразмом. Забавно. Забавно думать об этом, валяясь на лугу за деревней Семёновское и глядя в голубое бородинское небо. Земля надёжно прикрывает спину. Ветер молча ласкает лицо. Это у писателей он всё время что-нибудь говорит. Вруны и жульё! Ничего он не говорит. И земля ничего не говорит. И даже голубое небо. Тем более — голубое небо. За которым синее небо. Потом фиолетовое небо. Потом — чёрное. А потом — вообще ни черта нет. Пустота. На самом деле это нас тянет поговорить. И мы прикидываемся, что нас кто-то слушает. А те, кто преуспел в актёрском мастерстве, — тем кажется, что им кто-то отвечает. Ветер ли. Небо. Бог... Идиоты!

Какой-то смешной год уходит на то, чтобы понять, что я хочу остаться на этой земле. Иррационально. Но разум уже давно — дрессированная собачка. «Сидеть», «лежать», «ко мне». Беспрекословно. Как в цирке. Иначе останется без кормёжки.

Я лежу в траве и смотрю. И начинаю рисовать. Почему-то сначала дерево. Берёзу. Потом ещё одну. Потом лохматую с корявыми ветвями сосну. Не нравятся мне корабельные. Не знаю, как кому, а мне не нравятся. Кряжистые разлапистые одиночки — вот моё. Идеальный тест для психолога, взявшегося описывать мой характер. Но это не я. Я лишь рисую. Огораживаю деревья невысокой изгородью из жердей. Ворота — как на американской ферме. Отсыпаю въезд гравием. Ставлю высокий деревянный столб. Наверху — резного ворона. Не «застывшего в полёте», как это они все любят. А просто сидящего. Так... Напоминание. Пусть будет. В этом что-то русское. От Волги.

Я рисую людей — они роют колодец. Вообще-то я не очень люблю рисовать людей. Прямо скажем, не получается у меня их рисовать. И если рисую, то тех, кто что-то делает руками. Умеет и делает. А мечтающие, размышляющие, страдающие и надеющиеся на что-то люди — это не для меня. Не могу представить, как они должны выглядеть. Поэтому и не берусь. Вот плотники там, или каменщики — другое дело. С ними просто. И толк видно глазом. Образы мечтателей — это тоже хорошо. Для мечтателей же. А я — ремесленник. Любой художник — ремесленник. А всем остальным он обрастает как раз благодаря тем самым мечтателям. Они и секунды не проживут без своих этих «олицетворений», «поисков» и прочих образов «духовности» в ночном горшке.

Пока рисуешь работающих людей, появляются стены. Перекрываются стропилами. Я боюсь произносить это слово — дом. Это ещё не он. Что-то близкое. Очень похожее. Но я понимаю, что не смогу назвать это строение домом, даже когда плотники закончат своё дело. Просто квадратные метры сухости под дождём. И тепла в морозную ночь. Не более. Всё это тоже важно. Но это не дом. ДОМ — это Твердь (Д), Солнце (О) и Личность (М). Что-то изначальное. Но я не понимаю. Знаю, но не понимаю. Нужен кто-то, у кого можно спросить. Или просто поговорить. Всё равно все наши вопросы — к себе. Я рисую щенка. Никогда не рисовал собак. Получается двортерьер. Вислоухий, приземистый, с огромными глазами. Он чихает, пахнет сырой шерстью, и в его огромных глазах три собачьих библейских заповеди — «Люби», «Терпи» и «Защищай». Он очень любит слушать. Три часа может сидеть, пока я спрашиваю и сам отвечаю за него. Я нарисовал его умным.

Нам тепло и уютно вдвоём зимой. Грязно и весело весной. Беззаботно и ветрено летом. Но осенью я понимаю, что не смогу сейчас закончить картину.

И я ухожу. Я не бросаю рисовать. Но эту картину откладываю. Художники иногда так поступают. Значит, и я могу. Накрою холст простынёй — пусть постоит. Не знаю зачем. Что-то не идёт. Такое бывает. Нужно просто уйти куда-нибудь. Что-нибудь сделать. И я ухожу. Чтобы просто встречаться с людьми. С теми, кого у меня не получается рисовать. Я хочу понять. Для этого нужно выучить несколько простых правил — и тогда они примут тебя за своего. Это просто. И обмана в этом никакого нет. Это такая игра. Всё равно все спят.

Правила оказываются до того просты, что мне даже становится любопытно. И я быстро выясняю, что на первом месте у них — деньги. Не как атрибут славы или власти. А просто — как самодостаточный элемент. Как мотив. Как ощутимый потенциал. Это интересно. И даже забавно...

И кто бы мог подумать! Что забава может стать ещё одним ключиком, приводящим в действие механизм «холодного тока на кончиках пальцев». Неужели в этом месте в нас тоже прячутся истинные желания? Я бы сказал, что это не очевидно. Ну и ладно. Зачем вникать, когда можно просто пользоваться?

Рисовать деньги оказалось проще простого. Достаточно, взявшись за чистый лист, делать всё чётко и последовательно. И обязательно до конца. Тогда это ценят. Как раз те самые люди, которых у меня не получается рисовать. Оказывается, большего они и не ждут. Алгоритм прост и всегда один и тот же. Сюжет номер три. Меняй краски. Переставляй тени.

В рамку. И обязательно, чтобы подпись. Для них это даже важней, чем сам рисунок. Рамка чтобы соответствовала, и подпись. А рисунок? Ну что рисунок... «Рисующих много — удачливых мало!» Это они так говорят. Ну, приблизительно так. Потому что они имеют в виду другое. Я не спорю. Мне не трудно. Цех нарисовать. Или склад в удобном месте. Кому-то — оборудование несложное. Или услугу своевременную. Они все так серьёзно относятся к моим рисункам, что я развлекаюсь по полной. Давно, если честно, так не веселился. И денег уже вагон и маленькая тележка. Куда они? Что с ними делать?

Кто-то из приятелей пригласил на вечер в казино. «Пойдём, — говорит, — там всегда программа хорошая, клоуны всякие выступают и вообще интересно, ты же не был никогда?» Не был. «Я-то сам, — продолжает, — не игрок». Но пригласил. И всё объяснил. Мол, это развлечение. И если не хочешь проиграться в дым — нужно себя заранее ограничить. «В чём?» — спрашиваю. «В сумме, конечно!» Удивился. Тоже мне. Можно подумать, я простенькую игру не нарисую, если это правда забавно. А тот всё не успокаивается. «Нельзя, — талдычит, — особенно в первый раз, с собой много денег брать. Возьми тысяч пять бакинских, и хватит. Хоть не обидно будет, когда всё спустишь. Хотя... новичкам обычно везёт». Загадочно так добавил под конец. С потаённой надеждой. «Ага!» — подумал я. Значит всё-таки в выигрыше всё дело. А все разговоры вокруг — так, антураж. Вот оно как всё у них, на чистой-то воде. Удача — их маленький и хитрый божок. Ну, посмотрим, кто кого! Игра так игра. Просто эта игра стоит денег. Вот и пригодятся!

Я готов был голову дать на отсечение, что истинным моим желанием было проиграть. Не хотел, чтобы приятель и дальше молился своему божку удачи. Он был неплохим человеком. Каждый игрок любит хвастаться тем, что он может остановиться. Но это не правда. Пока лукавый божок оставляет хоть малюсенький шанс — они будут делать свои ставки. Не умея рисовать. Для них это всё серьёзно — и деньги, и удача. Их развлечение — в ожидании. Если не сказать — в надежде. А дальше — обман. Не деньги на самом деле они ставят на карту. Они всё ещё продолжают играть в ту самую игру — «Зачем?». А в этой игре ставки не деньги, а жизнь. Не фигурально — как антоним смерти. А натурально — временем. Огромными бессмысленными кусками времени собственной жизни...

Холодный ток скользнул по пальцам, заставив двигаться руки. Я рисовал, как Кандинский. Мыслеформа ложилась красным и чёрным на зелёное сукно рулетки настолько безупречно, что в какой-то момент я испугался, что это станет заметным для окружающих. И вовремя. Взгляды сидевших со мной за одним столом игроков оказались обращены на меня, когда я, завершив финальным штрихом рисунок, вернулся в царство теней и снов. И неудивительно. Увесистая гирька стояла на высоком столбике зелёных двадцатипятидолларовых кэшевых фишек на восьмёрке в окружении таких же столбиков из чёрных соток на сплитах, стрите и углах. Такой «пробо́й» заставил замереть нервные токи не только игроков, но и крупье. Куш, который я сорвал, рисуя безупречный проигрыш, не оставил супервайзеру никакого выбора, кроме как предложить мне перейти для более серьёзной игры в VIP-зал, после того как выигрыш на ставке был подсчитан и выплачен. Я отказался. И ушёл. Обменяв фишки на увесистый кулёк десятитысячедолларовых банковских пачек и оставив проигравшемуся к тому времени приятелю немного подъёмных на удачу. Не из жалости. И не из-за дурацкой «мужской солидарности». Все знают, что это тоже просто такая игра. Мне хотелось ещё раз посмотреть, как в мутном и пустом стекле глаз проигравшегося загораются огоньки беса удачи. Снова. Это забавно.

А потом я долго кружил по ночному городу, вглядываясь в зеркало заднего вида. Глупо. Для казино это не деньги. Они их за час отобьют. А может, и не глупо. Клиент, просто так уходящий с выигрышем, — это для них личное оскорбление. Констатация факта непрофессионализма сотрудников. Потеря лица. И огромная личная жаба хозяина заведения, получающего on-line отчёты каждые шесть часов, сидя на вилле с другой стороны планеты. Но важнее другое. Почему я выиграл? Неужели за честным желанием проиграть стояло ещё более честное желание? Если так, тогда что я знаю о себе? Опять ничего? Или то, что называется деньгами, вообще не имеет никакого отношения к реальной жизни и живёт по своим законам, силой иллюзий вмешиваясь, управляя, подставляя или поощряя людей по своему усмотрению? Неужели рядом с нами может существовать что-то, с нами не связанное, само по себе? Тогда что это? Одна из самостоятельных структур в информационном поле? Эдакий Гольфстрим на карте Мирового океана, вслед за малейшим изменением средней температуры которого на нас обрушиваются ледяные бури или мы собираем третий урожай апельсинов за год?

Спустя ещё года три я научился находить применение деньгам. Меня научили те самые люди, которых я не умел рисовать. Скажу честно, я пытался. Но объективно механизм холодного тока на кончиках пальцев запускался только в трёх случаях. Когда я влюблялся. Отдавался чувству, что злее и ярче злости. Или забавлялся. Забава — дело тонкое. Хоть простое и открытое с виду. Чувство, что злее и ярче злости, — вообще коллизия редкая. Выскакивает неожиданно, как чертополох на пашне нашего несовершенства. Влюблённость — доступнее. Химия крутит нам жилы. Разум — хитрым лисом подобострастно обосновывает. В паре они работают практически безупречно. Добавь к ним бесёнка надежды — и все вместе они сделают из тебя идиота. Но это сейчас легко говорить. Многие думают, что воспоминания обременяют. Но это чушь, поверьте! Воспоминаниям нет смысла что-то прятать внутри себя. Их дело — прошлое. А кто считает, что в этом есть какой-то толк — опыт там, сермяжная мудрость, воспитание духа, становление личности и прочий подобный бред, — пусть забудет. Прошлое есть прошлое. Ил на дне Мирового океана. Там, где странные рыбы с фонарями на лбу выедают из него останки того, что когда-то было живым. Кто будет задумываться об иле на дне Марианской впадины, весело старясь в бунгало на Гавайях? Только ненормальный!

Да. Сейчас просто говорить об этом.

Но тогда влюблённость — как самый простой способ рисовать — маячила перед носом запахами феромонов. А разум, довольный уже только тем, что может вернуться к своему любимому занятию, уговаривал меня, что спонтанно возникающие рисунки могут стать неотъемлемой частью системы. И деньги, и люди, к рисованию которых я всё ещё не видел возможности приступить, способствовали этому — каждый на свой манер.

Первую, кого я привёл в дом, звали Катя. Ей очень нравились сосны-одиночки и терраса. Ей даже нравился неутомимый двортерьер, похожий на слишком большую ёлочную игрушку, — хитрюга, сплетник и всё же очень верный пёс. Но девушка так рьяно делала вид, что её не интересуют деньги, и так смешно морщила лобик, продумывая каждый свой следующий шаг, что это достаточно быстро перестало меня забавлять. Забава внутри влюблённости — это отдельный шарм. И открывает тонкости техники рисунка. Ведь забавно морщить свой лобик она могла, например, сидя на ковре перед камином в моей рубашке. Под которой не спрячешь изящные щиколотки, бархатную кожу бёдер или вздёрнутые, как утиные попочки, груди с нацеленными на тебя орешками сосков. Всё было мило, вкусно и прилежно. Но, как известно, всё прилежное наскучивает быстрее вкусного. А всё вкусное — быстрее милого. И в результате остаётся только: «Зачем каждый год пропалывать и травить сорняки на щебёночном въезде, когда проще один раз асфальт положить?!» Или: «Давай уже куда-нибудь слетаем отдохнуть. Хотя бы в Египет». Или: «Найми уже кого-нибудь, чтобы следил за участком! Зачем всё делать самому?!» Ей не нравилась мелкая круглая природная галька. Может, потому что каблуки застревают? Но они же такие красивые, эти — вперемешку — лавовые, гранитные и кварцевые кругляшки, отполированные древней водой. Те, что теперь люди, умеющие работать руками, выкапывают из глубин карьеров. А другие люди развозят их в больших грузовиках — тем, кому нравится смотреть на бисер доисторических стихий. И от чего, спрашивается, нужно отдыхать? Что это вообще такое — отдых? Хочешь съездить в Египет, побродить по помойкам на окраине Каира, где чумазые детишки играют в футбол, используя вместо ворот пару сияющих своей неуместностью и роскошью «мерседесов»? Причаститься пирамид, которые несколько бригад современных каменщиков при должном руководстве соберёт за сезон? Так и скажи: «Хочу посмотреть, чем отличаются немытые верблюды от немытых коров». И как можно, живя на своей земле, звать кого-то, чтобы присматривать за ней? От неохоты? Так, значит, это и не твоя земля. Всё твоё — только от охоты. И от этого не нужно отдыхать.

До Дома в тот раз даже дело не дошло. Дом остался просто домом. Стенами, вещами, пространством без дождя и оазисом тепла в холода.

Год спустя она сделала вид, что обиделась из-за чего-то, и ушла. Её расчёт был прост и мил. Но это уже не позабавило меня. Влюблённость потеряла свой внутренний шарм. Расчёт не оправдался. Я скомкал рисунок и бросил в камин. Художники иногда так поступают. Значит, и я могу.

С Машей было интереснее. Всё, что по-другому, — интереснее. Женщины злятся друг на друга и на мужчин за это. Сравнивают. Но по-другому — это просто по-другому. Не что-то конкретное. Но это не сразу понятно. Для меня по-другому — это иная техника рисунка. Сюжет от вольного. Вызов, если хотите.

Маша была готова к чему угодно. Миниатюрная, как колибри, она не могла долго сидеть на одном цветке. Приземлилась, втянула хоботком «сливки» с нектара, и вот уже следующий цветок манит ароматом пыльцы. Нет. Пока я рисовал для неё всякие бесполезные привлекательные пустячки, её не тянуло к другим мужчинам. Она даже не пугалась, когда я в мгновение ока изображал для неё горнолыжную экипировку на склонах Чегета. Или дельтаплан на планерной горе под Коктебелем. Или рюмочку перно в кабачке на набережной Нюхавн в Копенгагене. Она обожала всякие маленькие вкусности. Она питала мою влюблённость, как никто и никогда до неё.

И даже разуму уже почти удалось уговорить меня, что это и есть то самое откровение чувства, безупречно противоречащее его — разума — природе. Почти удалось. Это теперь я знаю, что за этим «почти» порой скрывается целая вселенная. Неизведанная, таинственная. Но тогда я думал, неужели разум прав? И форма бытия не скрывает под собой никакого философского камня содержания? Она сама и есть содержание самой себя? Может быть. Почему нет? Так всегда думаешь, пока всё «хорошо», как любят говорить те люди, к рисованию которых я всё ещё так и не знал, с какой стороны подойти. А потом «хорошо» начинает делиться, как клетка. И вместо одного, общего на двоих «хорошо», появляются два отдельных. Связанных между собой законом притяжения — но всё же отдельных. Я понимал, что колибри должна где-то спать. Отдыхать, смотреть свои быстротечные сны, чувствовать уверенность. Где-то должно быть миниатюрное гнёздышко, которое она называет домом. И, глядя на Машу, я понимал, что она, как и любое живое существо, стремится к этому. Только неосознанно. По-своему. Мельтешение калейдоскопа — это её способ. А кто же я здесь? Инженер, что позволяет калейдоскопу не останавливаться? Рота обеспечения? Да. Я просто позволял ей продолжать поиск. Она не задумывалась об этом. Не могла. Слишком быстро всё, чтобы колибри успевала задумываться.

Единственное, что я мог сделать для неё, — это обеспечить ей скорость передвижения. Насколько мог себе позволить. Вот и опять деньги пригодились! Я расширил для неё горизонт — и она улетела. Даже не успев прислушаться к моим напутствиям. Мне было жаль её. Она всё ещё не понимала, что мир — это не одна сплошная Калифорния.

Вот Вероника была совсем другая. Она точно понимала, где кончаются одни страны и начинаются другие. Она чувствовала границы. И поэтому при всей своей внешней отрешённости была очень последовательна. Просто на квантовом уровне! Часто увлекаясь, она доводила всё до конца. Прочитать Библию в оригинале? — выучивает арамейский и древнегреческий. «Бхагават-гиту»? — санскрит. Не даёт спать спокойно тайна семи нот? — осваивает фортепиано. Мне кажется, она собирала тот самый «багаж», который потом когда-нибудь «пригодится». Её очень любил мой хитроватый двортерьер. Его можно понять. Чувствуя — на своём уровне — это собирательство, пёс надеялся, что и для него там будет припасено что-нибудь вкусненькое на голодный год. Но это лирика. Животные не умеют, как люди, готовиться к «тяжёлым временам». Просто они инстинктивно жмутся туда, где сытнее и теплее. Будут времена такими или уже есть — без разницы. Человеческое время для них — азбука за семью печатями. А не алгоритм скуки, как для нас. Поэтому мы их любим. А вовсе не как младших наших библейских братьев.

Вероника была чудом. Собирательство было её кармой. Что бы я ни рисовал для неё — для всего находилось место. Будь то набросок, до которого «ещё дойдёт время», или фраза, которая «наконец-то отразила». Ей нравилось владеть всем этим. Сейчас я думаю, не было ли это со стороны бога такой шуткой — подкинуть мне её после неуловимой и ничем себя не обременяющей Маши? Но надо отдать Веронике должное — импульс действия в ней не утихал никогда. Забивала ли она себе голову совершеннейшей никчёмностью или упивалась действительно толковым делом — она не тратила время на рассуждения. Но химия взяла своё. Точнее, отдельные её аспекты — скорость и последовательность реакций. Как сказал кто-то из великих: всё, что происходит в постели, — правильно. Но когда там происходят два разных «правильно», рано или поздно вопрос поочерёдного смирения перерастает в обыкновенную усталость. Я устал. Что в этом такого? Когда дело касается художников — это называют творческим кризисом. Почему я не могу? За два года лабораторные эксперименты с химией собственного тела износили даже разум. Все устали. И просто разошлись по домам. Отдохнуть. А потом просто не стали возвращаться. Это нормально.

Земля на окраине деревни Семёновское была щедра на благодать. И мы с псом учились радоваться должному. Закатам и рассветам. Смене времён года. Уюту камелька и тому, что, слава богу, нет войны. Деньги давно уже рисовали сами себя. Я в удоволь-

ствие изображал псу натюрморты из вкусных сахарных косточек и тискал гравюры своего терпения на его глупые шалости. А вечерами на террасе пытался делать наброски. Да, я всё не оставлял надежды научиться рисовать людей. Всех без исключения.

Для тех редких женщин, что попадали под нашу с псом общую крышу, я выдумывал долгие и грустные истории своих неудач. Наконец я нашёл, как использовать столь любимого всеми божка для своей пользы. Блеф. С помощью его и своей фантазии я отваживал почти всех дам, кроме тех, кому ненадолго нравилась роль доброй самаритянки или было просто жаль времени, всё равно уже потраченного на приезд в «такую глухомань», далеко от многообещающей столицы, и таких же, как они, охотниц и охотников за удачей. Перевёрнутый божок смеялся над ними, а мне грозил пальцем, вполне оправданно считая мои невинные шалости дискредитацией собственной сущности и власти. Этим он пытался обмануть даже меня, полагая, что я, как и все люди, верю в искренность чьих-то намерений только потому, что они преподносятся в доверительной форме. Глупый божок. Секс, конечно, хорошая штука. Но когда утром неловко вызывать такси, ссылаясь на невозможность сесть за руль из-за похмельной головы, — надо завязывать. Следующим шагом будет: «Деньги на столе. Такси вызови сама». Ни имени, ни шарма. Тупик.

Частота, с которой я искал отвлечения в смене женских портретов, иссушила источник. Влюбчивость иссякла. И больше ничего не забавляло меня.

Только пёс да надежда, что редкое чувство, что злее и ярче злости, вдруг проявит себя — и я смогу рисовать. Я не мог без этого долго. Это томило. Прикасаясь ладонями к своей земле, я вновь вспоминал уже почти забытое — когда мне не было места среди мест. Сейчас было. Моя земля, деревья на ней, старый, почерневший от дождей ворон на высоком столбе. Но место было не полным. И ощущение этого всё чаще приводило в судорожную готовность тело. Пока однажды утром сосед не постучал в мою в дверь. Я открыл. С его рук беспомощно свисал раздробленными лапами пёс, неестественно закинув на бок голову. Он уже был мёртв. Сосед принёс его с дороги. А ведь я так и не придумал ему имя. Что он там забыл, ночью, на опасном асфальте? Сколько раз я объяснял ему, что зря на планету пустили технологию двигателя внутреннего сгорания. Толку от этого никакого. Как всегда, все спешат — и всё равно опаздывают. Зато придурков, считающих, что жизнь действительно изменилась, прибавилось стократ. Чем были плохи телеги да брички? Не для нас все эти новшества. Псы-то, вон, бегать быстрее не стали...

Судорожная готовность скрутила и уже не отпускала.

Я похоронил пса — под вороном. И имена нашлись. Сразу всем. Просто Пёс и Ворон. Всё равно они только мои. Нет смысла объясняться, что банально, а что со смыслом. Иногда всё просто так, как есть. Но хоть умом я и понимал это тогда, всё равно из яичка судорожной готовности вылупилось чувство. Что злее и ярче злости. Но в этот раз я рисовал сдержанно. Забвение ремесленника — в его руках. Не хотел потратить запал на бессмысленные метания. Я хотел возвести бессмысленность на пьедестал. Но, видимо, ещё не дорос до смысла древних сказок. И не пошёл «куда глаза глядят», «туда, не зная куда». И уж точно не за тем, чтобы «найти то — не знаю что». Кто думает о таком? Так, да не совсем. Со всей силой уже знакомого чувства я устремился на Север. Туда, где уплотняются мысль и чувство. Туда, где жанр рисунка определён раз и навсегда. Тогда я ещё не знал этого. Но это было ни с чем не сравнимо. Чем дальше я рисовал свой путь, тем явственней осыпались пустые никчёмные краски у меня за спиной. Я рисовал, пока не стало очевидным, что образ очистился, избавившись от южного многоцветья и переходных техник. Великий образ графики. Только тогда я действительно понял, почему похоронил Пса под Вороном. И почему молниеносная ярость солнца никогда не сравнится с терпеливой яростью бесконечной вьюжной ночи... И как-то само собой получилось так, что я нарисовал то, что стало ещё одним ключиком к механизму холодного тока на кончиках пальцев. Как будто кто-то взрослый позаботился о моём неиссякаемом ребячестве. Я получил возможность использовать свой дар в любое время. Не забавляясь, не барахтаясь в тонких сетях влюблённости и не испытывая ярости. Я утвердился сам для себя, и это было воспринято мной как должное. Не как ожидаемое. Но просто как пришедшее, чтобы остаться навсегда.

Пёс и Ворон охраняли мою землю. Деньги обеспечивали им прикрытие. А я чувствовал, что теперь смогу рисовать людей. Чувствовал, но оттягивал этот момент. Не как в детстве — смакуя ожидание. А скорее как настройщик роялей. Работа предстояла долгая, кропотливая, и начать её нужно без особой серьёзности. Как бы невзначай. И тогда она отблагодарит, пойдёт спокойным правильным ходом.

Сами холодные земли подкинули мне случай начать. Двенадцатилетний мальчишка со старенькой «тулочкой» за плечом вынырнул из ночной пурги на моей промысловой заимке в тот момент, когда я прикрывал заслонку печи, собираясь спать.

Оттёр спиртом. Заставил глотнуть. Потом чаю. Через полчаса он смог говорить.

Был с отцом. Тот ногу сломал. Сильно. Нора, что ли, или так, ямина... Из лыж что-то вроде саней сварганили, но он не смог. Отец большой. Гирей пудовой как шапкой играется. Так-сяк пробовали. За два часа — с полкилометра от силы. А там дальше в обход, сани не протянешь. Отец и отослал. Он ему нодью[2] соорудил из пары сухарин, валежника натаскал и пошёл. Отец на посёлок велел. Но они далеко забрались. Двадцать часов шёл без передыха. До посёлка ещё восемнадцать вёрст. Почувствовал — не

---

[2] Нодья (*финно-угор.*) – способ раскладки костра из двух брёвен, сложно сконфигурированных для медленного горения, для индивидуального обогрева во время ночёвки.

дойдёт. Про заимку сообразил. До неё версты три было, не больше. Подумал, отогреется, передохнёт часок. Может, этот час, конечно, что и решит. А вот то, что он совсем не дойдёт — решит всё наверняка. Отцу самому не выбраться. Зима морозная, жрать нечего... Волк лютует. От одного — ещё нормально. Но если стая — карабин не поможет. А «тулку» отец оставлять не захотел. Патронташ картечью напихал и отправил. Лютует волк-то...

Он не мог понять, почему я не беру его с собой показывать дорогу. А как я объясню? Разве что — чудо, что он вообще добрался? Или что — обмороженные пальцы и нос не лучшая мотивация для прогулок в снежную бурю. И что или он, или отец — двоих мне не вытащить. То, что дорогу я и без него нарисую, не объяснишь. Я запер его, снабдив дровами, водой и припасами. Окошко маленькое даже для мальчишки — не вылезет. А если что — появится кто-нибудь рано или поздно, — снаружи отопрут.

Собак не взял. Нужно рассчитывать вес. Чтобы налегке. А так — и для них придётся припасы тащить. Ночь. Пурга. Каждый час на счету. Не до охоты.

Спирта. Пару шприц-тюбиков морфина. Ампиокса упаковку. Картечи побольше. Постромки капроновые подлиннее — чтобы тащить удобней. Свечку старую. Фонарик. Батареек запасных. Лосятины вяленой ломоть. Тот там уже двое суток, считай, будет, пока дойду. Успеть бы. Ах да. Лыжину ещё одну. Третьей к саням пойдёт — сопротивление меньше, мужик-то крупный, со слов. А не понадобится — там брошу. Всё. Собакам «праздничную» пайку отвалил и пошёл.

Куда идти, я знал. А вот куда я должен был прийти — нет. Снежная буря явно до завтра не утихнет, раз так завелась. При таком раскладе и грузовик в пятидесяти метрах пройдёт — не заметишь. Тот, конечно, огонь палит. Но с подветренной стороны заходить — время. Ветер задувает так, что рвёт клочьями. Будет за нос водить дымным запахом, пока с ног не свалишься. Интересно, он сынишку правда за помощью отправил или шанс дал? Может, догадается время подхода гипотетической помощи рассчитать и пальнёт в воздух разок-другой, обозначит себя? Нарисовать бы. Жаль, не знаю его совсем. А пацана расспрашивать ни времени, ни — у того — сил не было.

Путь рисовать было просто. Оно как в «Снежной королеве». Только без мультяшности и скидок на детство. У пацана двенадцатилетнего, что на заимке запертым остался, тоже скидок не было — а дошёл. И разум не потерял — до последнего не уступал страху и отчаянию. Крепкие они, мужички, что родились и росли в этих холодных землях. Ох, крепкие. Потому и не воюют. Знают цену живому. И цену. И меру. И срок. Не по талмудам и коранам знают, а по жизни.

К утру, против ожидания, буря утихла. Не совсем, но хоть сверху валить перестало. А к полудню дошёл. Никаких чудес. Выстрел услышал. Сначала вроде показалось. Но через полчаса — уже точно — выстрел. Второй, значит. Рассчитал мужик время-то.

Ещё через сорок минут я скинул лыжи, поклажу и разобрал плотно сложенный лапник с наветренной стороны нодьи. Та уже почти догорела. Верхнее бревно, что потоньше, — переломилось пополам и скатилось в снег. У нижнего, подпёртый парой тлеющих головней, плавил снег небольшой котелок. Я нагнулся осмотреть ногу. Шина отличная. Береста, потом крупная щепа набором, сверху — снова береста. Ещё парой ремней только перетянуть дополнительно — выдержит. Стёганая штанина и поддёвка — надрезаны и подвёрнуты. Перелом открытый. Одна кость порвала мягкие ткани, но несильно. Кожа и края одежды чёрные, подпаленные. Явно порохом. Я промокнул рану спиртом из фляги, сделал тампон и перебинтовал прямо поверх. Пока подсовывал дополнительные ремни для шины, отрезав по куску от постромков, мужика пару раз хорошо дёрнуло. Я достал один шприц-тюбик с морфином и протянул ему. Он отрицательно мотнул головой. Оно понятно. Здесь и потерпеть можно, а в пути — точно пригодится. Я убрал морфин обратно за пазуху.

Когда с раной было покончено, я быстро соорудил из оставшихся дров пирамиду и раздул огонь. Забил котелок снегом и подвесил на слеге кипятиться. После чего осмотрел полозья. Всё было сделано грамотно. В передней части и на задниках лыжин углом топора были прокручены отверстия. Толстые орешины, протянутыс через них бечёвкой, давали жёсткий каркас. Оставалось только повторить то же самое с третьей лыжиной, что я захватил с собой, и натереть полозья парафином. Я всё подготовил и отложил пока.

На высоком огне вода в котелке быстро закипела. Я закинул заварку, сахара по-щедрому и отрезал несколько полос лосятины. Разлил чай по кружкам и помог мужику сесть. Бросил в кипяток шипучку аспирина и протянул ему с двумя таблетками антибиотика. Пока он пил чай и жевал жёсткое мясо — я обошёл клочок вытоптанного бивака — оглядеться. За сугробом с подветренной стороны снег был примят, и от него в сторону низины бежали свежие, чуть только припорошенные следы. Волчьи. Приходил, значит. Старый бестия — не показывался. Иначе гильзы стреляные были бы. Ну, кроме тех, что мужик в воздух палил. Так, видимо, и спал — вполглаза. Совсем не спать нельзя. Потом так срубит — не проснёшься. Или мороз добьёт, или этот, шельма, доберётся. Я оглянулся на мужика. Тот, поймав мой взгляд, только пожал плечами.

Допив чай и доев, я подкинул ещё пару коряг в костёр, пристроил свои лыжи ближе к огню и лёг на них, подсунув под голову рюкзак. «Сорок минут!» — сказал я. Мужик молча кивнул. Я закрыл глаза.

В третьем часу тронулись.

Я возвращался по своей тропе. Но заносы и глубина снега местами были такими, что часто приходилось бросать сани, прокладывать путь, а потом возвращаться.

Раз на пригорке нарисовался волк. Я как раз вернулся за мужиком с пробитой тропы. Тут же вскинул ружьё, хотел пугнуть. «Не надо, — мужик пристально разглядывал силуэт на фоне чуть светлого неба. — Мамка». Я опустил ружьё.

Часа четыре двигались в полной темноте. Стекло налобного фонаря залепляло снегом. Я давно уже снял тулуп и накрыл им мужика. Плотная ветровка, из рюкзака, заменила его, защищая меня от ветра. Замёрзнуть и так не выйдет. Мышцы гудели, как высоковольтка. Хоть тем самым волком вой. Мужик, где потрудней — в горку или через валежник, — руками помогал. А там каждые сто метров — то горка, то валежник. Здоровый. Твоя правда, пацан. Повезло тебе с отцом-то. С таким и сорок часов сквозь бурю пройдёшь, не зажмуришься.

Заночевали. Без особого там. Лапнику навалил. Костёр небольшой. Сугроб нагрёб от ветра. Чаю попили. Пожевали. Спирта по паре глотков. Дров накидал побольше. Пальнул в воздух пару раз для профилактики. И валетом улеглись — поплотнее под моим тулупом.

Сон как спазм — взял-отпустил. Мы ещё и трети не протянули, а силёнки тают.

Сразу тронулись. Я только чуть поодаль походил, следы смотрел. Ничего. Может, не заметил.

За полдень первый шприц-тюбик ушёл. Это ничего. Нормально. Я шину проверил — не разболталась. А вот пальцы на покалеченной ноге пришлось растирать. Потом — чаще. Флягу с остатками спирта мужику отдал.

К вечеру буря стихла. И приударил мороз. Да такой, что дыхание колом встаёт. Но оно к лучшему — быстрее дело пошло. За полночь добрались до заимки. Только разобрались — вездеход с просеки заурчал. С врачом из посёлка. Пацан-то смекалистый оказался. Оклемался. Потолок, крышу разобрал и утёк. В посёлок за помощью. Повезло отцу с сыном. И с сыном остался, и с ногой. Что без трёх пальцев — так это мелочи.

«Вячеслав Егорович», — представился мужик, когда меня вместе с ним на вездеход грузили. Руки пожали. «Отца Егором, значит, звали? — говорю. — Хорошее имя. Крепкое».

«Личико мне ваше синее не нравится и общее состояние здоровья, — веселил меня по дороге забавный доктор, не выпуская сигарету изо рта. — А это у вас что? Ух ты! Сквозное? Расскажете как-нибудь?»

Жуткий весельчак был. Он мне все кишки надорвал за неделю, что за мной присматривал. А дочка у него очень серьёзная была. Красивая и серьёзная. Как фарфоровая статуэтка. Ей шесть лет было. Я ей музыкальную шкатулку нарисовал. Как в «Оловянном солдатике». Да не тушью и пером, как рисовал для Вячеслава Егоровича и его сына. А как положено для детей — ярко, гуашью. Но она всё равно осталась очень серьёзной девочкой — шкатулку сразу домой унесла. Даже папе не показала.

Я как оклемался, к себе вернулся — на заимку. Собак только пока у пацана Вячеслава Егоровича оставил. Приглянулись мои лайки ему. Он, когда в посёлок за помощью шёл, с собой их взял. Сообразительный. Зачем пацана расстраивать? Сказал: «Пусть пока». Как по мне — так сильно беспокойные они были. Белка со Стрелкой. Две шелупони. А мало́му — в самый раз. Пусть воспитывает.

В общем, один вернулся. Крышу за пацаном поправил. Помудрствовал у печки с чайком пару дней, да пора и честь знать. Амуницию всю перетряхнул, оружие почистил. Пошёл снег разгребать, от двери сарая да от окон, глядь — волк у перелеска. Пригляделся — старая знакомая. За нами шла? А сейчас тут зачем? За биноклем сходил. Беременная, что ли, на исходе, или ощенилась уже? Соски висят. Сидит, смотрит. Я-то, как она, сидеть и смотреть не могу. Делом надо заниматься. Да и мороз пробирает. До сарая тоннель в снегу прочистил — дай, думаю, загляну. За собаками прибрать. Захожу, а там на сене — выводок бултыхается. Мяучат, как котята. На вид странноватые какие-то. Да я и не видел волчат никогда. Так, на глазок, недели три-четыре им уже, поди. Я в санчасти чуть дольше отлёживался. Да тут пока туда-сюда. Сена им подоткнул под бока, чтоб не вываливались. С гвоздя под потолком лосятины кусок снял, строганул несколько щепок и под носы бросил. Вот морока. На улицу вышел, глянул в сторону перелеска — сидит. «Ты чего, мать-перемать?!» — ору. Сидит. Ещё раз в сарай заглянул — грызут мясо-то. Вот языческая сила! Думаю, на кой ляд всё это творится? Плюнул. И в лес на тот день уже не пошёл. Так и бегал, как мамка, — к сараю и обратно. Как папка, точнее. Мамка-то весь день у перелеска как на привязи просидела. Пока до меня не дошло в доме запереться да спать лечь, чтобы волю ей дать.

Утром пошёл смотреть. Сытые. От мяса носы воротят. Значит, была ночью. Покормила. Ну и ладно. С мамки ночью — молоко, с папки днём — лосятинка заветренная да замороженная. А там посмотрим.

Через пару дней пацан — сын Вячеслава Егоровича — пожаловал. Хорошо, без собак. А то б резня вышла натуральная. Дверь-то в сарай всегда чуть приоткрыта. То да сё, гостинцев от матери приволок. Суровый такой мужичок. Крышу за собой поправить хотел. «Припозднился малость», — говорю. Так он за потолок взялся. А там всего-то пара досок — разговоров больше. «Брось, — говорю. — Пойдём, что покажу».

«Ух ты! — Он припал к гнезду на колени и прихватил одного из щенков за шкирку. — Ты смотри! Ублюдки». «Откуда знаешь?» — спрашиваю. «Да видно, — говорит. — Помесь с собакой. Можно, я одного себе возьму?» Шустрый. «Выбирай!» — «Вот этого, с чёлочкой, можно?» — «Считай — твой. Только оставь пока. Я чуть позже сам тебе принесу». Довольный ушёл. А я, озадаченный, остался.

На следующий день после обеда пошёл к перелеску и стал ждать. Чуть к вечеру появилась мамаша. С другой стороны поляны. «Ну и что всё это значит?» — спрашиваю. Сидит. Носом водит. Косится то туда, то сюда, но сидит. «Что я должен делать-то? Выкормить и на волю выпустить, или что?» Сидит. «Поближе не хочешь познакомиться? Раз уж так всё вышло?» — спрашиваю. И кидаю в её сторону хороший кусок мороженого мяса. Сидит. «Два раза уговаривать не буду. Или общаемся, или каждый сам по себе». Сидит. Я и ушёл. Стемнело.

Через месяц ответы сами нарисовались. Мамаша пропала. Щенки уже вовсю мясо трескали. Даже сальцом не брезговали и тушёнкой, когда я хотел их побаловать под настроение.

А ещё через неделю пришла телеграмма. Умерла мать.

Пока то да сё. Щенков пацану Вячеслава Егоровича пристроил, собрался, с конторой дела порешал, добрался... На поминки к девятому дню только поспел.

Отец — волком смотрит. Родня — так, с опаской. Лишнего не спросят. Выпили. А мне что удилá закусывать? Виделись-то в последний раз года четыре назад. Вышел на кухню, перекурить. Только в окно взгляд бросил — девчонка за мной выскочила. Ну как девчонка — барышня. Тридцатник есть. Материной подруги хорошей младшая дочь, насколько я помню.

— Юля, — представилась. И дверь за собой прикрыла.

— Очень приятно.

— Надолго вернулись?

— Да вот сейчас докурю...

Улыбнулась. Светлая такая. Забавная.

— Что, и чаю не попьёте?

— Попью, — отвечаю.

— И всё?

— Всё. Смерти пока больше ни от кого ничего не нужно, что ещё?

— Расскажи́те что-нибудь.

Я сигарету затушил и новую прикурил.

— Зачем тебе?

— Интересно.

— За столом скучно?

— Да нет. Мне всё интересно.

Правда, забавная. Чёлка мальчуковая. Тридцатник, может, и есть, но так не скажешь.

— Ладно, — говорю.

Дверь на шпингалет закрыл. Там такой ещё — старый — вместе с дверью раза три крашенный. Потом окно распахнул. Большую фрамугу. Мне всегда вид за окном нравился. А через стекло — не поймёшь. Через стекло — не смотреть, а подглядывать. В городе уж точно. Не знаю почему.

— Видишь дом? Вон тот, панельный, двенадцатиэтажный? Там раньше фабрика швейная была. И булочная на углу. А где вон та стоянка — голубятня.

— А ты где раньше был? — Тоже закурила. Так спрашивает, как будто это и не вопрос.

— Да здесь и был...

Забавная она. Для таких детей рисовать просто. Не стесняешься. Ни красных камней в узком ущелье. Ни примиряющего с собой парения над кронами старого парка. Ни Ворона. Ни Пса. Даже мороженого в необыкновенно большом вафельном стаканчике не стесняешься. Неуместно только. Мороженое, в смысле. На кухне-то холод из-за распахнутого окна. Так что — по чашечке кофе с мёдом и чесноком, справедливо?

Вместе ушли. Чаю за столом со всеми попили и ушли. Мать её шипела что-то ей на ухо в коридоре, но та только рукой махнула. Мой отец даже из-за стола не встал проводить. Всегда трусом был само-

А.Попов

влюблённым. Матери нет теперь — вот и защищается. Каждый что умеет, то и делает.

На метро до Белорусского доехали, там — на электричку. Потом такси. Поздно уже добрались, за полночь.

Утром, когда гулять пошли в сторону монастыря, Ворон каркнул. И Пёс вздохнул в своей могиле. И Дом скрипнул, приосаниваясь...

Воскресенье.

— Мне завтра на работу.

— Обязательно?

— Всё обязательно, что уже есть. Нарисуй мне что-нибудь.

— Даже не знаю, получится ли. Меня никто никогда не просил. Ну, то есть так, буквально...

— Попробуй. Ты же сам говорил — что хочешь, то и рисуешь. Ты что, не влюбился в меня?

— Нет.

— Нет?

— Это другое. Я не знаю, что с этим делать. — Дом презрительно скрипнул где-то в районе печки. — Хочешь есть?

— Очень.

— Что тебе изобразить?

— Всё, что захочу, можно?

— Абсолютно.

— Даже суп черепаховый?.. Подожди, подожди! Гречки мне с тушёнкой, пожалуйста. Так давно не ела её... Но чтоб как положено, рассыпчатую.

Пока она ела, я вышел во двор. «Тебе тоже гречки, что ли?» — спросил я у Ворона. Но тот не ответил, зачарованно уставившись на высокую луну. «А ты что молчишь?» — спросил я у Пса. Но в могиле было тихо, как... в могиле, собственно. «Ну а ты что под руку кряхтишь всё время?» — обратился я к Дому. Но тот сделал вид, что это его не касается. И зная его характер, он скорее имел в виду, что глухим обедню по два раза не служат. «Тьфу на вас, чучела языческие!» — И я вернулся назад, к теплу.

— Юлия Владимировна, вы выйдете за меня замуж?

— Вот прям вот так — с первого раза?

— Я не знаю, как это должно быть.

— Юля согласна. А вот Владимировне, кажется, надо подумать.

— Над чем?

— Быть женой художника, знаешь ли...

— Я не художник.

— А кто?

— Рисовальщик.

— Есть разница?

— Кому как.

— И всё же для Владимировны это не так просто — принять такое моментальное решение.

— Может, хватит согласия одной Юли?

— Может быть. Очень даже может быть, что и так...

Понедельник всё-таки случился. Многие относятся к этому как к неизбежности, но это не так. Не их вина. И не моя — в том, что тогда я этого тоже не знал.

Я сказал, что вернусь, и двинул на Север.

Она сказала, что позвонит, но не уточнила куда.

А на станции пересадки ветром расшатало крепление строительных лесов. Ни те, кто ремонтировал фасад, ни те, кто мельком бросал взгляд на уродливую конструкцию, проходя мимо или куря в закутке, не знали об этом.

Только понедельник знал, что сегодня — понедельник. И ветер знал, что ему всё равно. И крепление знало, что от него больше нет толка.

И как закономерный результат — я узнал, что значит не знать вообще ничего. Даже какой сегодня день недели.

Хирург, который меня оперировал, через пару дней зашёл и сказал, что я везунчик. Я в ответ задал всего два вопроса: «Почему?» и «Кто я?». Его это не смутило. Он вышел и вернулся через несколько минут с моими документами. «Помните?» — «Нет», — ответил я, полистав паспорт. Он разложил передо мной на одеяле остальное: права, пару банковских пластиковых карт, охотничий билет, лицензии на оружие, ещё какие-то документы и фотографию очень смешной собаки, похожей на большую ёлочную игрушку. «А теперь?» Я потрогал руками. Улыбнулся собаке... «Нет». «Понятно, — сказал доктор. — Отдыхайте».

Разумный и занимательный молодой доктор. Я последовал его совету. Учитывая, что вся левая половина тела была в гипсе и голова перебинтована, оставалось только отдыхать.

Повязку на голове меняли два раза в день. Что-то мне там проломило, задело... Доктор сказал на латыни — я не понял. А потом сказал, что по моим документам разыскал, кого нужно, и всем сообщил. Кого, спрашиваю, разыскал? Сначала родню, естественно. Отца. Потом — начальника заготконторы. У вас, говорит, договор с ними при себе был. Несложно. Интернет сейчас при умелом подходе на любой вопрос ответ выдаст. Не то что бог. Смешливый такой доктор. Он мне нравился.

Но после этого разговора ко мне стали приходить какие-то люди. Это было интересно.

Первым пришёл мужчина. На вид — лет семидесяти. В сопровождении моего доктора. «Ну что, доигрался?» — спросил он с порога. «Это ваш отец», — доктору явно было неловко. «Хорошо, — ответил я. — Я верю». — «Верит он, слыхали?!» — «Я вам объяснял — иначе никак. Он не может знать. Пока не может. Но готовность принять — это хороший знак. Хороший сын у вас...» — «Да уж!» — «Зря вы так». — «Надолго у него это?» — «Неизвестно». — «Что значит неизвестно?! Вы же врач!» — «Мозг — дело тёмное. До сих пор плохо изученное...» — «Хотите сказать, что он вообще может навсегда таким остаться?» — «Каким?» — «Беспамятным. Впрочем, ему не привыкать — никогда особо не отличался!» — «Вы правда не понимаете? — повысил доктор голос. — Что бы вы сейчас ни говорили — для него это пустой звук!» — «Так и я о том же!» — «Господи, да что вы за человек такой?!» — «Ладно. Ну а если это не пройдёт? Дальше что?» — «У вас будет шанс ещё раз стать отцом. Нет худа без добра, как говорится. Не каждому такое выпадает». «Да уж... Ты правда ни хрена не помнишь или морочишь всех, как обычно?» — это он уже ко мне. Я долго вглядывался в глаза этого человека, искренне пытаясь найти что-нибудь близкое. Но нет. Я так и не понял. «Вам лучше уйти», — сказал я. И он ушёл. Доктор вышел с ним. Но минут через пять вернулся. Открыл было рот, но потом махнул куда-то рукой и спросил: «Горячего чаю с лимоном хочешь?» — «Конечно, хочу! — улыбнулся я. — Топят тут у вас, как... как... хреново, короче!»

Через пару дней помоложе мужик появился. С гостинцами всякими. Стал рассказывать, от кого, да кто что велел передать, но доктор его перебил. Мол, хорошо, что у него — то есть у меня — такие друзья есть. Но лучше не сейчас. Вот восстановится, покрепче будет, вот тогда и... Мужик покрякал, якобы с пониманием, но вижу — не укладывается у него в голове. У меня у самого не укладывается. Хоть и укладывать особенно нечего. Что укладывать-то, когда родился только что, в больничной пижаме, прямо в этой палате? А документы говорят, что я своему доктору чуть ли не в отцы гожусь. В общем, мужик этот сказал, что на работе всё уладит. Помялся немного для приличия и исчез.

А ещё через несколько дней появилась девушка. Забавная. Лучистая такая. Юлей представилась. Её тоже доктор привёл. Но сразу вышел. Подмигнул мне только зачем-то.

— Мне сказали, вам плохо. Я просто побуду здесь с вами.

— Хорошо.

Она ни о чём не спрашивала. Не пыталась выяснить что-то для себя. Или прояснить для меня. Утром приходила. Вечером уходила. Доктор мне сказал, что она сначала номер в их местном клоповнике сняла, но он как узнал — к себе уговорил перебраться. Он-то сам с женой в двухкомнатной. Так что без проблем. Я всю голову из-за неё сломал. Может, тоже родня? Или жена? Нет. Доктор напомнил, что паспорт у меня «чистенький». Но при этом был как-то по-детски заговорщически наивен. А у меня от вопросов всё тело пухнет, не одна голова. Где я живу?

Что делаю? Зачем? Кто я вообще такой? Но когда спустя ещё две недели меня выписали с направлением в центр какой-то там реабилитации, Юля просто сказала: «Я знаю, где вы живёте. Я провожу».

До столицы добрались. Там — на вокзал. Белорусский, вроде. Потом — электричка, такси...

— Я здесь живу? — Мы остановились перед воротами, за которыми в окружении разлапистых сосен стоял небольшой опрятный дом.

— Да.

— А откуда вы знаете?

Вместо ответа она сняла хомут, удерживающий воротины, толкнула их и прошла первой. Сделав несколько шагов по хрустящему гравию, я услышал, как над полем прокричал ворон. И вздохнул в деревьях ветер. И ступень на крыльце скрипнула, и хлопнула где-то с другой стороны неплотно прикрытая ставня. И странное ощущение холодного тока появилось на кончиках пальцев. «Кто же я, в самом деле?!» — и в тот же момент тонкие невидимые лучи сорвались с моих рук. И прокричал Ворон. И Пёс вздохнул в своей могиле. И Дом скрипнул, приосаниваясь... Я повернулся к девушке, что в последние дни неотлучно была рядом со мной:

— Я точно помню, что предлагал тебе выйти за меня замуж. Вот только запамятовал, что ты мне ответила?

— Я ответила «да».

— И я не потащил тебя сразу в загс?

— Ты был занят.

— Глупость какая! А какой завтра день недели?

— Вторник.

— Отлично. Загсы завтра работают.

И мы вошли в Дом.

В свадебное путешествие мы отправились ко мне на заимку. Только поехали на машине. Чтобы останавливаться. Лишь глупцы думают, что все эти современные средства передвижения — они для того, чтобы ехать. Нет. Они как раз для того, чтобы останавливаться. Останавливаться и бродить по разным маленьким городкам или по околицам незнакомых хуторов и деревень. Останавливаться на случайных просёлках посреди поля, или на узкой площадке горного серпантина, или на полосе прибоя...

Я рисовал ей разных людей. Она собирала мои рисунки и вечерами болтала со мной о них.

Весна наступила только в головах тех, у кого есть настенные календари в прихожей или ежедневники на столе в кабинете. А на заимке трещал мороз. И моя старая печь всё так же дымила, пока не разогреется. И к дровнику пришлось прокапываться полчаса. Но у перелеска больше не было видно моей старой знакомой.

На третий день съехались гости. Отпраздновать и попрощаться.

Пацан Вячеслава Егоровича принёс того полуволчонка «с чёлочкой», гордо отчитавшись, что научил его подавать лапу. «Всё остальное — само собой!» — тут же по-деловому добавил он. Но больше всего его радовало, что он не поленился обучить щенка выполнению совершенно бесполезной команды. Всё, что по делу, — это долг перед собой и животным. А вот «дай лапу» — это уже чистое искусство. Привлекательное и забавное в своей бесполезности. «Ты же себе хотел его оставить?» — «Мне больше нечего вам подарить. Папа сказал, что настоящий подарок — это когда самому дорого. Остальное — от глупости и жадности». Хороший у него отец. Не зря деда Егором звали. Настоящее имя, крепкое. Я парню тоже подарок нарисовал. Настоящий эмчеэсовский нож. С их эмблемой на лезвии и со встроенной в рукоять бензиновой зажигалкой. А на крышечке, что зажигалку открывает, — ещё и точило. Сделал вид, что специально из столицы привёз. Не будешь же объяснять, что да как. По-разному у людей жизнь складывается. У меня своя. У парня — своя.

Вячеслав Егорович Юльке шубу принёс. «Своей шил. Да она у меня беременная. Вторым. Располнела малость...» — смущался. Юлька в той шубе, как беспризорник-малолетка в тулупе ямщика, — очень

трогательная. Размерчик и подогнать можно. Мастерских, что ли, мало по «пошиву и ремонту»? А сама забеременеет — так и вообще ничего делать не надо. На это, наверное, Егорыч намекал, потому и смущался.

Доктор-весельчак со своей дочкой приехал. Самогонный аппарат привёз. Совершенно какой-то космической конструкции. И рецептов по приготовлению — с десяток. «Всё от деда, — говорит. — Он у меня старый пропойца был. Долгожитель. Если б не большевики, так и сейчас, поди, с нами тут сидел бы!» — смеётся.

Волчица так и не пришла. Но она же волчица. Спасла потомство, на крамольной любви замешанное, и назад, к своим. Собаки — при людях. Волк волком остаётся. А человек — человеком. Каждому со своими надо.

Шубу к тому времени, как Юлька забеременела, перешить всё-таки успели. Да она и не располнела. Глядишь, в той шубе и дочка ещё походит. Хорошая же вещь. Крепкая...

А когда я умер, и пеплом от того, что когда-то носило одежду моего размера, удобрили куст молодой сирени на могиле Пса, я перебрался в неё. Не в шубу, конечно. В жену.

Дочь с мужем приезжали редко. Редко, разумеется, по меркам пожилого человека, у которого, кроме воспоминаний и одинокого счастливого сердца, что уже плохо согревало руки в осенней мороси вечеров, ничего не осталось. По меркам юной барышни — нашей дочери, — они виделись «достаточно часто». Это на самом деле было так. Они приезжали на каждые выходные. Воистину счастливые семейные дни и вечера. Все вместе ухаживали за Домом, утешали вечно вздыхающего Пса в его могиле и болтали на закате с неразговорчивым Вороном-созерцателем. Фотографии поглядывали на них со стен, когда вечером, наварив вкусного кофе с мёдом и чесноком в старой кастрюле, они наливали себе по рюмочке коньяка. А то и по две. Да что уж там. По три наливали.

Потом приходили злые понедельники — как уборщицы в конце вечеринки, — и сердца наполнялись сладкой печалью. Дочь с мужем возвращались в город, переодевались сообразно присутственным местам, в которых собирались побывать, и, смеясь друг над другом за нелепый вид, обедали вместе в уютном ресторанчике на Китай-Городе.

А она, неотступно провожаемая взглядами фотографий со стен, бродила по комнатам, плакала, надраивала и без того блестящий в своей благородной старости Дом, вздыхала за компанию с Псом, лукаво поругивала Ворона за его всё чаще неуместное молчание и ждала вечера пятницы.

Когда умерла она — я перебрался в нашу дочь. Это было не совсем удобно. В смысле неловкости, я имею в виду. Мужчина, который любил её, любил её не меньше, чем она его. А это ведь что-то да значит. Всем известно, что только женщины умеют любить по-настоящему. И редкие исключения лишь подтверждают это правило.

Так что когда родилась внучка, я с облегчением перебрался в неё. И когда ей исполнилось восемь, открыл ей своё присутствие. Она немного испугалась сначала, но попросила меня не уходить. «По крайней мере, пока...» — добавила она, подумав.

Серьёзная была девочка... »

— Не буду я это писать!

— Как так «не буду»?

— А вдруг это кто-нибудь прочитает?

— Если «кто-нибудь» прочитает — он всё равно ничего не поймёт. А если тот, кто надо...

— Дед, скажи, а ты бабу Юлю очень-очень любил?

— Очень-очень.

— Чего не нарисовал, чтобы она не умирала?

— А зачем? Я умер, а она осталась бы? Думаю, она бы не согласилась.

— Но ты же здесь, а её нет! Где она?

— Там, где живут все забавные и лучистые люди.

— В раю?

— Ну, можно и так сказать. И вообще, это не я здесь, а ты.

— С кем я тогда разговариваю?

— Вот это действительно хороший вопрос. Спроси у мамы. У нас этот секрет по женской линии передаётся.

— А у папы?

— А он умеет рисовать?

— По-моему, нет.

— Тогда лучше не надо.

— Значит, нужно его обмануть?

— Нет. Обман — это обман. А секрет — это секрет.

— Ну и что же тогда получится? У нас с мамой будет секрет, а у него нет?

— У вас с мамой свой секрет, а у него свой.

— А у него какой?

— Это же секрет, как я могу его выдать?!

— Ну, Де-ед! Ну, скажи!

— Его секрет в том, что он знает про ваш секрет.

— Как это так? Ты ему сказал?!

— Нет. Но если я скажу тебе, то это будет уже секрет секретов.

— Скажи, скажи мне секрет секретов!

— Он любит вас.

— Какой же это секрет?!

— Уж поверь. Любовь как дар даётся людям редко. Это ни для кого не секрет. Поэтому те, кому он даётся, держат его в секрете.

— Почему?

— Вот почемучка с хвостиком! Точнее, с чёлочкой... Именно потому. Если что-то «ни для кого не секрет», значит, секрет просто нужен. Как без секрета-то? Скукотища, да и только.

— Дед?

— Что?

— А ты не уйдёшь?

— Нет.

— Никогда-никогда?

— А ты уроки всегда будешь делать?

— Всегда!

— Всегда-всегда?!

— Ну да. А что?

— Да ничего. Вот и хорошо. Тебе пора.

— Уже?

— Да. Через минуту у мамы зазвенит будильник, и она придёт тебя будить.

— Ты всегда всё знаешь?

— Я везде всё знаю. Это не одно и то же.

— Пока, Дед. И доброго утра тебе.

— И тебе доброго утра.

Красные птицы ночи

«Здравствуй.

Здравствуй даже там, где в этом нет необходимости.

Здравствуй.

Так испокон века люди желали друг другу добра.

Здравствуй и радуйся.

Так начинались письма одного моего друга. Его уже нет. Но я знаю, что он слышит меня. И будет рад, что его мудрые слова пригодились мне. Ибо большего нельзя пожелать человеку в нашем мире.

Здравствуй и радуйся.

Я знаю, что и ты слышишь меня, хотя ещё не родился. А те, кто откроет для тебя наш мир, ещё не знают об этом. Ни о том, что ты есть. Ни о том, что мы разговариваем. Они не могут ещё позволить себе такой малости, как думать о тебе. Им есть чем занять себя, поэтому они и не думают. Нет, конечно, им не раз приходило в голову, что, может быть, уже пора родить ребёнка. Но что значит — «родить ребёнка»? Для них — пока он не рождён или, по крайней мере, не зачат (вот ещё тоже неуклюжее слово) — это не значит ничего. Поэтому прости их за то, что они не думают о тебе. Я-то думаю. И знаю, к кому обращены мои слова. И знаю, что ты меня слышишь. Такие вещи может позволить себе только старость. А я стар. Безо всяких там. Просто стар, как трухлявый пень. Такой, что уже рад оказаться пригодным случайному огню...

Но ты-то уж знаешь, что нет ничего странного в том, что ты ещё не родился, а я уже знаю тебя. Знаю, какой ты, как они назовут тебя здесь, и даже то, что, когда ты будешь читать мои письма — а это обязательно будет, — ты не вспомнишь, что уже слышал всё это, и мало что поймёшь. Я, может, и хотел бы, чтобы это произошло как-то иначе, но вряд ли я смогу им объяснить. И даже если наберусь смелости сделать это, вряд ли они поймут нас с тобой. Кто будет слушать старую рухлядь? Не говоря уж, кто будет слушать того, кого нет. По их разумению. Так у нас тут всё устроено. Говори — не говори, объясняй — не объясняй — всё одно. Люди так одержимы погоней за истиной, что до обычной правды им уже нет дела. И хотя сами они спят и видят, что мир устроится по-другому, то, что они называют реальностью, заставляет их забывать свои сны. Просыпаясь, они не помнят. И просто продолжают подстраиваться, как хамелеоны. Они хотят слить-

ся с местом, где они живут, со временем, в котором живут, с теми людьми, что рядом, с правилами, что позволяли их предкам оставаться невидимыми для Лиха. А Лихо для них — это бедствия, болезни, голод, одиночество и маета. Их можно понять. Но, слава Богу, мы с тобой можем поговорить, не обращая внимания на все эти мелочи. Неизбежность моей смерти и твоего рождения даёт нам такое право — и возможность. Мы встретимся на пароме. Ты будешь готов сойти на берег, я — подняться на борт. И мы оба понимаем, что ни паромщик, ни река здесь ни при чём. Просто так получилось. Это мило и забавно. Ты приходишь, не имея с собой ничего. Я ухожу с пачкой папирос в кармане, которой воспользуюсь разве что ещё разок, облокотившись на леер и разглядывая вечную воду... Шут его знает, может, я протянул бы и дольше, если бы не курил? Но, по-моему, это всё хрень собачья! «Протянуть подольше...» В этом есть что-то нерадивое. Формальное. Разве нужно что-то куда-то тянуть? Ты ведь знаешь, что нет. Нужно отдаваться. Открываться. А это их «тянуть» — какое-то вымученное. В нём невозможно ни здравствовать, ни радоваться, согласен? Вижу, что согласен...»

— На.
— Что, опять?
— Да.
— С тем же адресом?
— Ну разумеется.

— Лучше бы он президенту писал — с большей вероятностью дошло бы!

— Слушай, а у него точно родных нет?

— Да говорю же тебе, гол, как перст! Его же соцопека к нам определила. Они, знаешь, дотошные какие. Им такие доходяги — чирей на заднице. Одни расходы да хлопоты. Был бы кто — раскопали.

— Всё равно жалко его.

— Меня лучше пожалей! Мне это всё читать приходится. Отчёты-то главному я пишу!

— Я тоже читаю.

— Ты развлекаешься, а я работаю.

— А что если...

— Даже не начинай! У нас свободных палат нет!

— Я хотел тебя попросить. Ты же сами письма к отчётам не прилагаешь. Можно, я их буду забирать?

— А на что тебе?

— Просто люблю собирать всякую всячину. Чеки из магазинов, фотки глупые, случайные... Знаешь, это как свидетельство эпохи для меня. Или что-то в этом роде. Вроде как случайные свидетельства моей собственной жизни. Мы же тоже когда-нибудь состаримся. А это всё вроде как материал. Как для дембельского альбома. Всякие документальные глупости. Но по таким вешкам, говорят, память легче потом ориентируется.

— Да забирай. Вот чудак! Ещё тридцатки нет, а он уже «дембельский» альбом собирает! Ты бы не мифотворчеством собственной жизни занимался, а женился бы уже наконец! Эта вон, как её?.. Сестрица со второго этажа уже второй год как побитая собака за тобой ходит и в рот смотрит. Я в женщинах разбираюсь — из неё жена для тебя будет — счастье. Мечта идиота.

— Я не идиот.

— Да между нами девочками, есть у тебя... загибоны. Уж прости.

— Ну так как?

— Письма-то эти? Да забирай, на хер они мне упали!

— Спасибо.

— Было бы за что.

— А ты с ним не говорил?

— Со стариком-то? А зачем? Хочешь — попробуй.

— Неудобно как-то...

— Неудобно на потолке спать — одеяло всё время падает. Только бе́столку всё. У него два слова в лексиконе общения: «спасибо» и «нормально». Они к своим годам такие высокомерные становятся от всезнайства и недоверия, что тебе сквозь эту скорлупу не пробраться. Легче подростка отмороженного «пожалуйста» научить говорить, чем такого зубра из паутины его памяти на свет белый вытащить. Даже не пытайся, мой тебе совет. Да ему уж и немного, похоже, осталось. Слабеют жизненные токи. Поверь, у меня глаз намётан на такие вещи.

«Сестрица со второго этажа...» Вот глупцы! Мы живём уже вместе полгода. Заявление подали. Через две недели распишемся. И «в рот смотрит», потому что души не чает. Просто решили не афишировать пока. В этом клоповнике палец в рот никому не клади. Ярлыков понавешают. А ей неприятно. Она как ребёнок. Почему как? Она и есть ребёнок. И хочет ребёнка. А как? Чтобы у ребёнка ребёнок?.. Чушь какая-то. Целый человечек. Новый. Другой. Она мне сама как дочь, а тут ещё кто-то... Кто-то. Кто он? Если всё предопределено, то, значит, он правда уже где-то есть, этот кто-то? Может, прав старик? Поговорить бы с ним... Неловко. А может, до неловкости и дело не дойдёт — диагноз-то никто не отменял... Вот такое «мифотворчество».

Он спустился в метро.

У неё сегодня ночная смена. Впереди длинная ночь. Он плохо спит один.

«...они позовут тебя, может? Даже сами не до конца понимая это. Так всё устроено. Мы-то с тобой знаем.

Ты не волнуйся. Мне уже, конечно, не узнать их так близко, как сможешь узнать их ты. Просто не успеть. Но я чувствую, что ты будешь доволен. А я — твой дед? — доволен уже сейчас. Мне выпала такая удача — помочь тебе, обнадёжить, успокоить. Предвосхитить.

Обещай написать мне. Потом, когда всё устроится, конечно. Я буду ждать. Мне будут очень интересны всякие глупые маленькие подробности вашего знакомства. Вашей дружбы. Это должно быть так забавно. Обязательно напиши мне.

Целую.
Твой Дед».

Он сложил письмо и запихнул обратно в конверт. После слова «кому» по линеечке аккуратно было выведено: «Моему единственному внуку». Внизу, после «От кого», — «От деда». На что он рассчитывал? Или всё же чистый диагноз? Классическое замещение — и ничего больше?

Уже второй час.

Мало живого вокруг, когда её нет рядом. Это их дом. Но что дом? Не стены же. И даже не он сам среди них. Дом — это когда она. Дом — это ожидание. Дом — это их время, вытекающее из невидимых ледников прошлого и сбегающее сначала бурными, а потом — уравновешенными потоками — в тёплые уютные долины настоящего. И где-то там, дальше, впадающее в безбрежный океан будущего.

Он позвонил ей на работу.

Она опять волновалась, что он не спит так поздно. Извинялась, что не может долго говорить — неловко. Он слышал, как она улыбнулась, когда он сказал, что любит её. Положенная на рычаг трубка ещё долго приковывала к себе его взгляд. Он видел, как медленно и неохотно остывает в ней её тепло. Утром она прибежит, как обычно, отпросившись минут на двадцать пораньше — больше неудобно. Чтобы побыть с ним немного дольше, пока он не уйдёт на работу. Но не разбудит сразу. Сварит кофе. Подогреет чего-нибудь вкусненького. У них будет час. Может, чуть больше. Потом он уйдёт. Она тоже не любит спать без него. Но не может делать это, как он. Долго. Похозяйничает. Выйдет в магазин. Приготовит что-нибудь на ужин. Ещё немного приберёт. Приляжет на постель с книгой. И вечером он застанет её, свернувшуюся клубочком, натянувшую во сне угол покрывала на ноги, и заломившую по-птичьи под себя руки. Рядом — раскрытая книга.

Она — его маленькая птичка.

«Ты не бойся! — На той неделе они сидели на кухне за столом и болтали: — Мы вдвоём — это уже навсегда мы. А когда у кого-то так, разве не хочется пригласить кого-то погостить? Чтобы кто-то ещё разделил с нами это. Не отнял, не подменил, а разделил. Кто-то родной, кому это будет близко и понятно с самого начала. Ему не придётся привыкать к нам. Это всё сразу будет его. И вовсе не значит, что этого станет меньше для нас!»

Он не боялся. И понимал. Ну, может, не совсем понимал, но точно чувствовал. Может, не как она, но близко. Наверное, иначе они бы и не были вместе. Только так ведь и может быть — близко может быть только близкое. Не похожее, и даже не подобное. Плохие слова. Не отражают. Именно близкое. Банальное слово, да. Но это с какой стороны посмотреть. «Пригласить погостить»... Надо же, как ей

А.Попов

иногда удаётся простыми словами передать смысл! Пригласить. Не «захотеть», не «спланировать», не... «зачать». Пригласить того, кому всё будет «понятно с самого начала». В этом таилось что-то бесконечно живое и правильное.

Он сходил в душ. Потом сварил кофе и прилёг на диван в большой комнате. В спальню не хотелось. Лучше уж так. Просто поваляться. Закрыв глаза, можно некоторое время подглядывать за меняющимися на внутреннем экране век картинками. Если повезёт — это будет неизвестный доселе ландшафт. Тогда можно увлечься — и есть шанс, что тонкая грань между мыслями и бессознательным, между реальностью и сном будет пройдена.

Сегодня ему повезло. Они прилетели. Это случалось редко, но всегда завораживало. Огромные красные птицы среди тёмно-бордового, с фиолетовыми сполохами, пространства. Наблюдая за их полётом, хотел он этого или нет, но он всегда улетал с ними. Никогда не зная, куда. Никогда не видя цели этого великолепного величавого полёта. Но теперь вдруг ему показалось, что он ещё слышит голос. Как будто их крик. Посвист. «Спроси-и». «Попроси-и». «Пригласи-и». Он нащупал рукой плед, укрылся с головой и, влекомый новым чувством, устремился вслед за птицами...

Птичка отпросилась на двадцать минут пораньше и прилетела домой. Сварила кофе, подогрела остатки вчерашнего пюре, положила пару ломтиков сыра на хлеб, тихонечко поставила всё на столик у дивана и юркнула к нему под плед. «Пригласи!» — чуть слышно шепнул он сквозь сон. «Что?» «Маленькая, это ты? — он открыл глаза. — Сколько времени?» — «Всё хорошо, не волнуйся». — «Я люблю тебя». — «И я тебя. Ты что-то говорил во сне...» — «Не помню... Не важно. Иди ко мне...»

— Слушай, дед твой из колеи выбился!

— В смысле?!

— Во-первых, он умер.

— Ты псих, что ли?! Когда? И что значит «во-первых»?!

— Утром. За час до тебя. И это было вполне ожидаемо. Потому и во-первых.

— А что не было ожидаемо?

— Не угадаешь!

— Письмо?

— Нет. Письма нет...

— Не тяни вола, Христа ради!

— Рисунок.

— Не может быть!

— Вот так вот. Полтора года письма писал, а тут бац! И жирную точку поставил. Ты знаешь, что это значит?

— Догадываюсь.

— Догадывается он! Диагноз — штука железобетонная. И полтора года ни у кого это не вызывало сомнений. Что теперь делать?

— Просто не пиши в отчёт. Всё равно всем плевать.

— Думаешь?

— Уверен.

— А ты не...

— И не подумаю. Заботиться надо о живых.

— Ладно. Коли так...

— Отдай его мне.

— Рисунок?

— Ну не деда же!

— Да на...

Он шёл по коридору в ординаторскую, ощупывая в кармане халата сложенный вчетверо листок. Он даже не развернул его, не посмотрел. Неведомым до этого момента чувством он знал, что там — под его пальцами, как на экране закрытых век, взмахами огромных крыльев в сторону фиолетовых сполохов величаво резали бордовое пространство красные птицы ночи.

Весь белый свет

Раскидали сети
Черти на рассвете
В век прогресса и утех
Плачут люди горше всех

Пролог

Первый: Хотел больше, чем мог. Зато не хотел слишком многого ввиду некоторой ограниченности.

Второй: Хотел столько, сколько мог. Но он не мог хотеть большего.

Третий: Хотел всего. Это всё, что он мог.

Четвёртый: Хотел меньше, чем мог, — и был презираем первыми тремя. Он просто не мог знать всего в точности.

Пятый: Не хотел ничего, но кое-что мог. Он дружил с четвёртым.

Шестой: Не мог ни хотеть, ни не хотеть. Кроме этого он мог многое.

Седьмой: Не хотел быть первыми шестью. Но он не мог хотеть.

Восьмой: Хотел быть со всеми. Но он не мог не хотеть.

Девятый: Не хотел совсем ничего. Он даже мог не хотеть не хотеть. Он жил особняком.

Десятый: Просто жил. Его любили все, кроме девятого. Но он не мог не бояться смерти.

...

N-й: Жил не просто и стал прозрачным. Никто из предшедствующих не может его видеть. Но его всё ещё можно потрогать.

Предпоследний: Умер.

Последний: Никто ничего не может сказать о нём. Но некоторые утверждают всякие небылицы.

Следующий: Он мог бы быть одним из предыдущих, но потерял свой номер и остался в живых.

Грядущий: Он уже не мог быть кем-то. Он был всем сразу и был во всех.

Все: Они понимали это. И радость наполняла их сердца.

Каждый: Был близок любому и далёк от любого.

Начало

Бьётся ветер за стенами
По ту сторону окна
В упоенье сатана
По стеклу скребёт когтями
И похмельными огнями
Веселятся города

Я простой смертный. Не больше и не меньше, чем другие. И поначалу это не создавало никаких проблем. Понимание подобных вещей, я подозреваю, никогда и никому не создаёт проблем *в нача-*

ле. А учитывая, что к концу далеко не все приходят в здравом уме, так и вообще... Да мало ли что мы понимаем. Пойди успей применить это на практике! Всё вертится быстрее, чем нам удаётся сообразить, какое понимание к какому месту прикладывать. Очевидно, что фармакологическим корпорациям это известно. А для того чтобы нам не было скучно и обидно, существуют время и память, вкупе позволяющие нам рассматривать собственную жизнь как нечто целое и непрерывное. Нивелируя таким образом дилеммы неуместности и несвоевременности. Это всё очень печально. За исключением редких моментов спонтанных просветлений, мы *всегда* несчастливы. И тайна сия велика есть.

Сказать, что эта история началась задолго до того, как закончились Времена, — значит отделаться риторикой, не осознать масштаба. Потому что *задолго* — в привыкшем к обыденному сознании — более или менее объективно распространяется не дальше, чем юность наших бабушек, или соотносится с абзацем текста про динозавров из школьного учебника младших классов, или со смешным сериалом канала Discovery. Но то *задолго*, которое я имею в виду, — это когда всё уже было задумано в ещё просторной Вселенной, предопределено, и кванты энергии жизни радостно носились в пространстве, предвкушая радость первого пристанища, а трагедия реализации ещё не существовала даже как идея. Вот когда всё началось. Никто из тех, кто бытовал *тогда,* и близко не мог предположить, чем всё обернётся *сейчас*.

Сейчас — это очень интересная квинтэссенция сознания. *Сейчас* для меня — это пока я не закончил это предложение. Для вас — это пока вы не дочитали это. После точки *сейчас* заканчивается. Наступает *потом*, то есть следующее *сейчас*. Но оно может быть и гораздо бóльшим, всё зависит от масштаба события, внутри которого мы находимся. Однако любое *сейчас* заканчивается точкой. И понятно: с чем большим по масштабу *сейчас* мы имеем дело, тем большей точкой всё это и закончится. Логично предположить, что сейчас у каждого своё, очень субъективное *сейчас*. И надо полагать, у бога тоже есть свой взгляд на подобные вещи.

Лично я прямо *сейчас* живу далеко за городом. Так далеко, что будет вернее сказать: город имеет ко мне весьма опосредованное отношение. Так вышло по причинам отчасти случайного, отчасти осознанно-сознательного порядка. Осознанным я называю череду смен недвижимой собственности, в результате которых более дорогие квадратные метры менялись на менее дорогие, оставляя зазор для жизни в виде денег. Имея изначальный pool этих самых квадратных метров и добавляя в процессе немного работы, можно жить. (А точнее, всегда можно позволить себе умыть руки, если что.) Сознательная же часть — это мой врождённый асоциальный рефлекс, который проще назвать боязнью толп. Я в принципе не верю ни в командное творчество, ни в совместную деятельность, ни в «объединённый дух». Согласитесь, тому, кто неплохо разбирается в людях, с трудом

удаётся уговорить себя верить в их искренность. Любой из нас, прикидываясь благопристойным, скрывает внутри неразлучную парочку. Диктатора и шута. Предпочитая ничего не скрывать (по крайней мере, от себя), я всё же держу своего диктатора связанным, а шута — трезвым. На всякий случай. Хотелось бы считать это мудрым выбором.

Отступая от действительно мудрого правила — не стремиться к обобщениям, всё же скажу, что, на мой взгляд, демографический прорыв последней пары веков настолько изменил наши взаимоотношения с природой, миром и друг с другом, что очевидно — от людей надо держаться подальше. Особенно когда они собираются в большом количестве в одном месте и с общей целью. Не поймите превратно, я не чураюсь себе подобных, но сторонюсь примитивных закономерностей, которые обязательно проявляются, хотим мы того или нет. Не говоря уже о том, что всегда находится тот или те, кто по простоте душевной или по корысти не преминет этими закономерностями воспользоваться. Результат, как говорится, налицо. Точнее — на лицах. Взять хотя бы заквашенных в перманенте быта пассажиров метро, или лубочные мордашки клоунов из телевизора. А редкие лица «с выражением» давно уже стали арт-объектами для фотографов-нуворишей. Но это я так, для примера. Никаких обобщений. Что мы знаем на самом деле друг о друге? Нас уже столько на этой маленькой планете! И при этом — если быть честным: пара друзей, десяток приятелей, и сотне-другой мы пожмём руку за всю жизнь. Причина нашей разобщённости и пресловутого недопонимания друг друга кроется всего лишь в несоответствии масштабов наших деяний тому, что мы сами по этому поводу думаем. Это тоже весьма и весьма печально.

Поэтому непосредственно окружающие меня *сейчас* люди — это сосед справа и соседи слева, обладающие, как и я, небольшими земельными наделами и построившие на них то, что должно было бы называться домом, но больше попадает под определение «жилище».

Нет, конечно же, кроме них я контактирую и поддерживаю отношения со многими. Но ведь действительно близкие, искренние отношения — это вопрос предпочтений, не так ли? Мои же, в силу привычки, с детства склоняются в сторону людей, сумевших разговориться на бумаге. Предпочтительно — умерших. Я всегда любил и люблю читать книги. Это как раз для нас, для русских. При наличии встречного интереса не требуется трепетно-внимательных проявлений в адрес собеседника — ему, по объективным причинам, всё равно. Он или далеко, или далеко совсем.

Так что можно сказать: с живыми людьми я общаюсь по необходимости. Делюсь, если повезёт, с ними опытом и навыками. С чужими — за деньги, разумеется. С относительно своими — по взаимозачёту, в пределах разумного. В паузах пытаюсь познать себя, заслужить дар любви и проникнуть в неизведанное. Если основная деятельность ещё как-то удаётся — когда лучше, когда хуже, — то работа с паузами требует серьёзного пересмотра. И, поверьте на слово, лучше с этим не затягивать.

А соседи... Ну что соседи? Соседи — это самая что ни есть необходимость, не правда ли? Если они у вас уже есть.

Соседи слева

мы построим дом как это мило
соберёмся в нем
заживём счастливо
на веранде кресла
мы сидим там вместе
по колена ноги
в пыли
и скажу ей-богу
ты ли
это в зеркале там над горкой
с апельсиновой коркой в зубах
и ах
как давно это было
сейчас лишь

Своё жилище они возводили у меня на глазах, соблюдая все каноны человеческой глупости, выражавшейся через абсолютное профанство в специальных вопросах в сочетании с противоположным мнением о себе. И в большей части это относилось к главе семейства.

В первый раз появившись для осмотра своих будущих владений, он в первую голову направился ко мне с предложением познакомиться, выпить пива и спросил, не буду ли я возражать, если ту часть забора, что граничит с его участком, он будет считать также и своей частью — и пока пристроит к ней сарай. Так как пива у него с собой не было, а в моём холодильнике оно как раз было, то мы выпили пива.

Половину времени нашей беседы, длившейся около сорока минут, заняли риторические ответы на единственный с его стороны вопрос: «Ну, как здесь вааще?» Вторая половина ушла на процедурные моменты обслуживания гостя, курение и осмотр моего жилища снаружи и изнутри. Из всех его комментариев можно было сделать один общий вывод — всё не то. Мой дом стоит не на том месте, не так спланирован, не тем отделан, и вообще он должен был быть совсем другим домом. Я был само смирение и внимание. Его можно было понять — на его участке ещё совсем ничего не было. Однако непомерный энтузиазм этого владельца сети заправочных станций, как предупредительный выстрел в воздух, заставил меня слегка опустить забрало. Обучать случайно появляющихся в моей жизни людей правилам хорошего тона не входило в ближайшие планы. Поэтому все наши дальнейшие встречи на этапе строительства им своего жилища свелись к коротким диалогам, как в одном небезызвестном фильме: « — А может быть?.. — Не стоит. — А если?.. — А вот это попробуйте!»

Потом, когда строительство достигло фазы, при которой можно было осуществить первую попытку заселения, я познакомился со всей его семьёй — и характер наших встреч по естественным причинам изменился.

Сосед справа

Глашатай высших сфер созвучия,
Безумец гений отрицал себя.
Он видел нить, связующую темя
С земной корой, с земной бедой
и счастьем.
Её порвать нет сил иль нет веленья.
Ответь, о небо?..
Тишь благословения!

Когда я впервые появился на этих землях в сопровождении одного из представителей отряда риелторов, его жилище уже имело место быть, как говорится. И на первый взгляд ничего особенного собой не представляло. Одноэтажный Г-образный дом, с пологой двухскатной крышей, стоял на косогоре и на расстоянии смотрелся как ранчо из американских фильмов времён освоения Запада.

Форма дома скрадывала его истинный размер и создавала уют на участке. Всё было задумано ладно, скромно и со вкусом, за исключением одного. На территории квадрата, двумя сторонами которого служил сам дом и где должны были располагаться газон, беседка, сад, стоянка для машин, наконец, и всё такое прочее, — высилось совершенно несуразное сооружение. По состоянию дерева можно было судить, что и дом, и это строение появились здесь одновременно. В общем, это был огромный сарай, обшитый тёсом, дырявый и открытый всем ветрам, с шиферной крышей и большими воротами, через которые мог въехать, наверное, «КамАЗ». Грузовиков у соседа не было, и о предназначении данного сооружения долгое время существовали только вопросы. А ответы на них пришли, когда Свет сошёлся клином и Времена прекратили своё существование.

А пока я даже не знал, как зовут молодого, лет тридцати пяти, человека, ростом чуть выше среднего, который был моим соседом. И выражалось это соседство в течение более чем двух лет в том, что между нашими участками был общий забор. Да, и ещё: он был правым соседом.

Соседи слева
(продолжение)

дым от костра
плесень зеркал
тени бросаются в море со скал
и вдруг
обретается образ невесты
предвестники
шепчут и ропщут
в невидимых рощах
таинственных стран

Закончилось бабье лето, и следом, спустя пару недель, первой волной прошлись морозы... В связи с этим действо на сопредельной с моей территории развернулось жуткое. Дежурную фразу Виктора Ивановича: «Я, мать вашу, всем здесь бошки пооткручиваю!» — можно было просто написать крупно на стене дома, чтобы не драть горло. Тем не менее погода не менялась, и вдобавок ко всему не выпало ни крошки снега. За несколько дней гуляющих по ночам серьёзных минусовых температур земля промёрзла основательно, и Виктор Иванович накануне очередных выходных получил первый урок жизни в деревне.

Я в то утро отправился побродить по ближайшим перелескам с ружьём. Насладившись прогулкой и постреляв по связкам шишек на макушках елей, я уже подходил к дому, когда заметил на участке моего левого соседа, ещё не обнесённом забором, такую картину: Виктор Иванович сидел на перевёрнутом вверх дном ведре, а напротив, на корточках, — Саша, его прораб.

— Доброе утро! — бросил я на ходу.

— А, Андрей, привет! — Виктор Иванович слегка повернулся в мою сторону.

Никаких криков, вопросов и прочих, уже ставших привычными, комментариев. Я остановился.

— Что у вас там с утра пораньше?

— Да ну её... Канализация, вон... Замёрзла, блин. — Тон у Виктора Ивановича оставался спокойным, даже флегматичным. Это было странно. Я подошёл к ним.

— Ну что там, Сань, давай рассказывай! — сказал я, обращаясь к прорабу.

— М-м... — замялся тот. И затравленно покосился в сторону хозяина.

— Да жена сегодня должна приехать, а тут вон... Ни помыться, ни... Чё делать, ума не приложу! — Виктор Иванович полез в карман ветровки и достал пачку сигарет. Он был как-то растерян и, казалось, без пяти минут подавлен.

Хорошее утреннее настроение и прирождённая галантность (не мог же я допустить, чтобы женщина, пусть даже и незнакомая, оказалась в стеснённых условиях) сделали своё дело.

— Иваныч, не хандри! Приедет твоя, заходите ко мне. Напьёмся — разберёмся.

— Да жена ладно. Не в этом дело, — Иваныч затянулся от души. — Тут, понимаешь...

— Пока нет.

— Дочь приедет тоже. Не просто у нас с ней всё. Тут вроде заманили, уговорили... Она не то что, там, условия, и всё такое... Она из принципа, понимаешь? Нерадивый, вишь, отец-то у неё. Ну и... — он замолчал и опять с силой затянулся.

Так-так, тут уже что-то интересное! Я полез за своими сигаретами. Достал одну и наклонился к Иванычу прикурить. Пока я втягивал в себя дым вместе с морозным воздухом, план уже был готов.

— Вот что, Иваныч, бери ключи, ружьё и топай ко мне. Поставь там при входе и располагайся на кухне. А я сейчас потолкую тут с твоим оболтусом и минут через десять подойду. Давай.

— Да зачем это?.. — На сопротивление не было похоже.

— Поверь мне, всё пойдёт по плану, — я протянул Виктору Ивановичу ключи и снял с плеча «тулку».

— Ладно. Устал я от всего этого. Сил уже больше нет... Давай! — Он взял ключи, ружьё и пошёл в сторону моего дома.

— Так, Сань, соберись с мыслями и вкратце расскажи мне, что и как вы делали и что не делали, хотя должны были! — прораб покосился на меня с недоверием. Точнее так: одним глазом с недоверием, а другим — с хитроватым испугом. — А чтобы у нас сразу возникло понимание, — продолжил я, не обращая внимания на дежурное выражение лица всех прорабов на свете, — скажу: я — не твой заказчик. И чёрные дыры твоих смет меня не интересуют. Причина аварии тебе наверняка известна. Мне ты можешь её сразу озвучить. Я прикрою твою задницу и возьму Иваныча на себя ровно настолько, чтобы ты управился. Сделаешь, как я скажу, — всё будет путём. Поверь мне, я в этом разбираюсь. Со своей стороны обещаю мирное урегулирование конфликта. Попыхтеть, конечно, придётся, но ты сам свою работу выбирал. Я надеюсь... Ну, поехали!..

Надо оговориться, что та часть сферы человеческой жизни, что касалась вопросов организации крыши над головой, была знакома мне не понаслышке. Скажем прямо, процентов на восемьдесят это было моей профессиональной деятельностью. Но, сами понимаете, жизнь может быть спокойной, только если на уровне приятелей и родственников не первой руки это никому не известно. А уж соседям — тем более! В противном случае рискуешь превратиться в вечную палочку-выручалочку.

Минут через двадцать Санёк пошел организовывать своих людей, пообещав к вечеру управиться с поставленной задачей, не забыв стрельнуть у меня пару сигарет — верный признак того, что мозги у парня расслабились. А значит, всё пойдёт как надо. Я же вернулся к себе, разделся в прихожей и, прихватив с собой набор для чистки и оружие, прошёл на кухню. Виктор Иванович сидел у окна за столом, курил и смотрел, как на улице начинала заметать мелкая крупа.

— Иваныч, к вечеру всё будет готово, беспроблемную зиму, по крайней мере, в одном отношении, я тебе обещаю. А вот по весне придётся кое-что переделать. На ребят особо не дави. Ты же русский человек, должен знать — на крестьянина чем сильнее жмёшь, тем он туже идёт. Понимаешь, о чём я?

— В чём там хоть дело-то?

— Иваныч, я тебя не понимаю — ты же управленец! Передал полномочия, выслушал доклад о перспективах. К вечеру получишь результат.

— Ладно. И то верно... А ты что, разбираешься? — вдруг глаза его заинтересованно вспыхнули.

— Поживёшь с моё в деревне — тоже разбираться будешь, — скромно улыбнулся я в ответ.

— Да уж. Похоже на то, — вздохнул он. — Спасибо. Сам не знаю, что нашло — руки опускаются, и всё. Старею, наверное.

— Не прибедняйся. Ты завтракал?

— Нет.

— Вот и отлично. Мне ружьё надо почистить. А ты давай по хозяйству. Ставь чайник. Мне зелёного, себе — что хочешь. Вон там, в шкафчике над мойкой, хлеб, чай и кофе, в холодильнике — ветчина, масло, сыр и всё такое. Я быстро управлюсь. Не стесняйся.

Оторвав пару полосок ветоши, я разобрал ружьё и занялся чисткой, попутно размышляя, до какого предела сегодня может дойти моё великодушие. Вспомнил, что после обеда собирался поехать в город, навестить одного человека. Но, похоже, отдав себя на откуп прямо с утра, придётся доводить начатое до конца.

— Мои к обеду обещали быть, — как бы в подтверждение моих опасений сказал Иваныч, заливая кипятком растворимый кофе в чашке. — Тебе чай как заваривать?

— Оставь, я сам. Уже почти закончил. — Я уложил набор в футляр. — В обед, говоришь?

— Угу.

Судя по всему, выбора у меня не было.

— Иваныч, у нас с тобой три пути: шахматы, бильярд или смотреть, как Санькины бойцы устраняют выявленные недостатки. Что выбираешь?

— Да в шахматы я как-то слабенько...

— Всё ясно. Значит, так: лёгкий завтрак, одна сигарета с кофе, другая с пивом для настроения — и за работу.

— За какую? — не понял он.

— Тянуть время, дорогой мой Виктор Иванович. Без ущерба для психики — это одна из самых трудных задач современного человека. Так что бильярд так бильярд.

— Ну, ты скажешь! — он немного повеселел. Всё было готово, и мы сели завтракать.

Наши истинные намерения обладают парочкой блестящих, я уверен, свойств. В отличие от намерений обыкновенных — когда мы что-то планируем, собираемся сделать или просто мечтаем. Истинное намерение никогда не имеет цели. И всё же тут же рождает план реализации. Странно, да? Но это только на первый взгляд. Мудрые люди говорят, что тайна эффективности состоит не в том, чтобы делать определённые вещи. А в том, чтобы *не делать* определённых вещей. Но для этого, согласитесь, тоже требуется план. Но не тот, что хотелось бы обсудить с собственным подсознанием или с соседом. У плана истинного намерения не существует отдельных пунктов — он монолитен. И всё же ясность бывает столь предельной, что может быть представлена алгоритмом. Время не играет роли. Опасности усомниться в плане нет, ведь он принимается как должное, не являясь альтернативой, но лишь выражением сущности, если не вещей вообще, то свойств твоей натуры наверняка. План — это безупречное стечение действий и обстоятельств. План — это когда ты замечаешь, что судьба подмигнула тебе. Смысл происходящих внутри плана вещей скрыт его тонкой организацией и даётся лишь в ощущениях, и ты просто двигаешься, ведомый их ароматами. Нельзя сказать, что ты являешься частью плана. Нельзя также сказать, что это твой план. Всегда не данное нам в словах нечто концентрируется в точке, создаёт и растворяется без следа, оставляя тебя и план, без сомнения, неразрывно связанными.

А пока мы играем партию за партией, Виктор Иванович пытается рассказывать о себе. В основном — это история географии его денег. История мании трудоголика. Сам Виктор Иванович всплывает на поверхность только при упоминании о дочери. И хотя я не обладаю непосредственным опытом отцовства, так как всегда жил один, сделав лишь пару раз исключения, впрочем, неудачные, — понять метания отца, ограничившего себя рождением единственного чада, могу. Поэтому Восток мне всегда был ближе — чем больше детей в семье, тем больше гарантия, что кто-то из них «выбьется в люди», удовлетворив тем самым все сокровенные чаяния родни. Такова, к сожалению, психология родителей: сделанная ставка должна сыграть. У кого — в адекватной благодарности за их любовь и заботу, у кого — в социальном статусе, росте благосостояния... У кого в чём. Здесь есть лишь одна заминка. Если ребёнок достаточно умён, то переигрывает родителей в этой игре. Значит, она умная. Кто? Дочь Виктора Ивановича, разумеется. *Ах, вот оно что...* Не сбивай! Да... Как уже сказал, я живу и предпочитаю жить один. Но я не говорил, что меня не привлекают женщины. Привлекают. Как это можно, чтоб не привлекали?! Существа с других планет привлекают нас, жаждущих познания двуножек, по определению.

Где-то в начале четвёртого через открытое мансардное окно мы услышали звук приминаемой покрышками щебёнки. На временно отсыпанную стоянку на участке Виктора Ивановича, рядом с его статусно-пузатым «Шевроле», припарковался голубой «Гольф», и из него вышли две женщины.

— Пойду встречу, — бросил Иваныч уже с лестницы.

— Давай. Сейчас спущусь. — Я закурил, подождал, пока он замаячит на улице, и не спеша двинулся следом.

Когда я подходил к машинам, Санькины бойцы уже торопливо семенили к дому, нагруженные кульками и сумками, вслед за ними двигалось всё семейство.

— Добрый день.

— Здравствуйте, — супруга вопросительно взглянула на Виктора Ивановича. Всё банально до тошноты. Кто-то, наверное, придумал измерять надменность и лукавство в градусах, отсюда и пошло выражение «обжечься».

— Добрый! — Девушка лет тридцати, крохотная, как фарфоровая статуэтка, смотрела прямо мне в глаза.

— Меня зовут Андрей, я ваш сосед, — представился я, махнув рукой в сторону своего дома.

— Любовь Петровна.

— Маргарита. Можно Рита, — протянутая рука, лёгкое соприкосновение пальцев.

— Виктор Иванович, наверное, ещё не успел вам сказать, — начал я, упреждая неловкие оправдания вечно виноватого главы семейства. — Тут по моей вине у вас в доме случилась небольшая авария, к вечеру обещали всё исправить. Ну а я — как провинившийся — приглашаю всех к себе. С собой можно ничего не брать. Обязуюсь накормить вас вкусным ужином. Кстати, совсем не буду возражать, если женщины мне немного помогут. А когда в вашем доме воцарится порядок, вы сможете избавиться от моего назойливого гостеприимства.

Маргарита внимательно смотрела на меня несколько секунд.

— По-моему, неплохая мысль! — Она глянула на небо, потом опять на меня. — Если не вдаваться в подробности. — И добавила, обращаясь к родителям: — Пойдёмте. По крайней мере, вечером на планете скучно будет не нам одним.

Виктор Иванович явно не успевал с реакцией, зато Любовь Петровна, вышколенная целой эпохой мохеровых беретиков, реагировала моментально:

— Нет. Всё это крайне неудобно, и вообще, мы хотели бы побыть...

— Мама! — Тембр этого голоса заставил меня усомниться, является ли всё происходящее результатом работы моего намерения, или из неизвестного пункта «В» навстречу мне вышел другой паровоз?

— Что?

— Мама. — Волны стали потише. — Нет ничего неудобного в том, что человек сам предлагает, чем бы он ни руководствовался. — (Браво!) — А что мы будем делать дома — все знают. Расползёмся по углам после ужина и станем мусолить ностальгические чувства пятнадцатилетней давности, да поможет мне бог! Извините. — Последнее — это уже ко мне. И извинялась она, конечно, не за резкость, а за столь непримиримую откровенность игры, которую все, кроме меня, принимали всерьёз. Настолько всерьёз, что в Викторе Ивановиче проснулся талант подыгрывать чужим намерениям.

— Ну ладно, Люб. Мы ж с Андрюхой друзья, всё нормально. Я и сам хотел вам предложить, думал, вот сейчас разгрузимся...

— А что дома-то, я не пойму?.. — остаточный эффект. Победа за сильнейшими.

— Лучше вам этого не знать, Любовь... э-э... Петровна, — я посмотрел на Риту.

План — великая вещь.

Она приехала недели через две. Одна. Иваныча дома не было — пропадал где-то уже три дня. Не думаю, чтобы она не знала этого.

Собак у меня нет. Ни дом, ни калитка никогда не запираются. Так что она просто вошла. Я был на втором этаже и пытался работать.

— Кто-нибудь встретит усталого путника?

— Конечно, — ответил я, не поднимая глаз от калькулятора, на котором подбивал сумму.

— Ждал?

— Разумеется.

— Что, даже сомнений не было?

— Не было.

— Да-а... — Рита поставила на пол небольшую сумку и подошла ближе к столу. — Ты всегда такой?

— Нет. Я гораздо хуже, — я поднял голову и посмотрел на неё. — Можешь ничего не говорить.

— А я и не собиралась ничего говорить.

Маленькая, хрупкая, бесстрашная. И напряжена, и расслаблена одновременно. Такими бывают только кошки. Я обошёл стол и встал у неё за спиной.

— Пальто?

Одежда скользнула на пол. Я и не пытался поймать. Когда бог создавал время, он создал его достаточно...

Не умей мы говорить, как, например, собаки, — всё могло бы быть иначе

Угасло сердце, тихо тлея,
Сквозь патину золы без сил.
Неправда — полюбить труднее,
Чем разлюбить, когда любил.[3]

1

— Что ты сделаешь, если тебе будет дана возможность переиграть жизнь, не утратив опыта теперешней?

— То же самое.

---

[3] Парафраз-антитеза на известную сентенцию Ларошфуко: «Легче полюбить, когда никого не любишь, чем разлюбить, уже полюбив».

— Это упрямство или способ не потерять самоуважение?

— Способ не потерять самоуважение.

— Ты невыносим.

— Не для тебя.

— Ну, пофантазируй. Ради меня.

— Ради тебя — всё, что угодно.

— Да ну!

— Хочется верить.

— Скользкий противный тип.

— Противные и шершавые хуже.

— Словоблуд.

— Знаю.

— И всё же, пофантазируй.

— ...

— Ну?!

— Дай подумать.

— Подумать?!

— Не язви. Я не такой шустрый, как ты.

— Не прибедняйся.

— Не прибедняюсь. Ладно. Думаю, всё-таки в событийном ряду принципиальных изменений не будет, разве что немного побольше романтики, пока молод. Я люблю жить и люблю жизнь, а вот в характере...

— В твоём характере?

— Нет. В характере этих событий. Понимаешь, если я вступаю в новую жизнь, не утратив опыта предыдущей, — мы получаем классическую картину посвящённого, владеющего опытом своих реинкарнаций. Со всеми вытекающими последствиями —

планка возможного духовного роста, впрочем, как и соблазнов, вырастает на порядок.

— Посвящённого?

— Так принято называть подобные вещи. Это просто слово.

— Сильно.

— Гипотетически.

— Ты так и не ответил на вопрос.

— Тебе нужны подробности?

— Наверное.

— Женщина.

— ?..

— С какого края подступать-то? Это можно роман написать с большим продолжением.

— Ладно, я всё поняла. Ты крайне убедителен, как обычно.

— Сарказм неуместен. Не забывай, я мужчина — существо ленивое, хоть и продвинутое.

— Ого!

— А ты думала!

— Послушай, есть ли хоть одна вещь на свете, которая способна по-настоящему изменять этот мир, — без игр, дополнительных настроек, обманов и самообманов, без критериев и оценок?

— Да.

— Какая?

— Честность перед собой.

— А я думала...

— Ты думала, я скажу «любовь»?

— Да.

— На моих глазах это слово, а точнее, то, что за ним стоит, занюхали настолько, что... я не знаю уже, что там на самом деле должно за этим стоять.

— Просто мало кто в это верит.

— Вера — продажная девка страха.

— Ты, главное, никому не говори об этом, чтобы камнями не забросали.

— Они забросают что в этом случае, что в противоположном, если шлея под хвост попадёт. Это вообще из другой оперы.

— А я?

— Что?

— Из какой оперы?

— Не из оперы. Ты — не все. Это уже скорее мистерия.

— Я соскучилась.

— Взаимно...

2

— Ты просишь невозможного.

— Я просто хочу быть с человеком, которого люблю.

— Семейная жизнь быстро превращается в просроченный фарш. Кажется, ещё столько котлет можно наготовить... Да почему-то не хочется. Воспитанному человеку не будет никакой возможности это кушать!

— Это у тех, кто ошибся.

— В выборе партнёра?

— В выборе половинки.

— Старая песня. Боги разделили людей и перемешали, создав одну из величайших шизофрений на планете. Не забывай, мы лишь плесень в трещинах огромного утёса. Какое дело богам до нас? Просто всем хочется верить в идиллию взаимоотношений полов.

— Но ведь любая родившаяся идея обрекает мироздание на её исполнение — твои собственные слова.

— Не спорю, но не забывай, что мироздание может действовать избирательно. Оно может реализовать идею, но лишь для тебя.

— Разве этого не достаточно?

— Для тебя самой — достаточно. Но у твоей «половинки» может быть совсем другая идея.

— Какая?

— Или никакой.

— Не веришь в любовь?

— Это не вопрос веры — это вопрос опыта. Точнее, его отсутствия — я не умею любить. Я чувствую, что она есть где-то рядом, слабый ветерок от её крыльев, когда она пролетает неподалёку. Но мы не знакомы. Никакие слова не заменят одного вдоха — я знаю это. Но моё знание — опыт мертвеца. Видно, грехи той самой прошлой жизни испортили урожай для меня на этом поле.

— Я научу тебя.

— Здесь требуется не твоё желание меня научить, а моя способность к обучению, а она под вопросом. Твои чувства закрывают тебе глаза на риск. А он в том, что ты проклянёшь всё на свете, когда поймёшь, что взялась прокопать тоннель под Уральским хребтом детским совочком. За удачу можно биться, но рассчитывать на неё нельзя. А влюблённая женщина при всей своей авантюрности, романтичности и готовности свернуть горы остаётся женщиной: расчёт — неотъемлемое свойство её натуры. Играть в наивность — значит, обрекать себя на муки.

— Ты даже не дашь мне попытаться?

— Попытка — это действие, мотивируемое поражением. Я не узнаю тебя. Ты же умница. Откуда это дилетантство четырнадцатилетнего подростка? Зная меня, чувствуя, ты упорно пытаешься представлять меня кем-то другим, вписывающимся в твою легенду...

— Я просто люблю тебя...

— А я просто не знаю, что это такое!

— А хочешь знать?

— Да.

— Действительно?

— Да.

— Тогда произнеси вслух.

— Что?

— То, что ты хочешь привлечь в свою жизнь. Просто произнеси вслух.

— Я хочу познать любовь. Простую человеческую любовь, которая выжмет меня без остатка, и ничто во мне не сможет помешать этому.

— Ты правда хочешь этого?

— А ты думаешь, я оттачиваю стиль речи?

— Тогда возьми.

— Что?

— То, что ты пожелал. Оно уже здесь.

— «И ничто во мне не сможет помешать этому», понимаешь? Я сам или что-то во мне мешает принять дар любви. Я не могу, физически не могу. Не чувствую вибрации.

— Не ты ли говорил, что жить — это иногда просто следовать за эхом собственного крика?

— Я поступал так — и потерял последнюю надежду, сомнения превратились в уверенность, полёт оборвался, не начавшись. Ко мне приставили тень, и она следит за тем, чтобы мне было не слишком хорошо на этом свете.

— Ты перестал верить?

— Не я.

— ?..

— Не в вере дело. Воспринимающему мир прямо — в ней нет необходимости. В твоей жизни есть что-то или его нет. Нами всеми движет жажда познания, проникновения в неведомое. Я не могу стремиться к чему-то конкретному, но лишь идти по пути. Что встречу я завтра? Можно вопить буквально на всю планету, желая любви, — и не встретить её. А может быть, вчера я отвернулся на мгновение, чтобы взглянуть на красивый пейзаж, и она тихо прошелестела у меня за спиной... Что принесёт ветер с другого края поля: крики о помощи, песнь юной славянки или тихий шорох камыша?

— Красноречивый глупец!

— Вот ты уже злишься.

— Следуй лучше за собственным молчанием.

— Сарказм — это способ запрятать поглубже неуверенность в себе. Мне жаль тебя.

— Тебе жаль себя. Я ухожу.

— Как скажешь...

3

— Привет!

— Я слышу неподдельное удивление.

— Всегда есть чему удивляться.

— Агрессия?

— Нет. Просто удивлена, что ты вообще про меня вспомнил.

— А я и не забывал вовсе.

— Два месяца.

— Что «два месяца»?

— Мы виделись последний раз два месяца назад.

— Среди мер моего восприятия времени нет, ты же знаешь.

— Ты никогда не мог понять.

— Я могу понять, но жить так не могу.

— Как *так*? Беспокоясь о ком-то?

— Я беспокоюсь, но делаю это так, как умею.

— Твое беспокойство, похоже, больше нужно тебе, отними его — и ты не будешь знать, что делать дальше.

— Это очень похоже на правду, но не умаляет самого факта беспокойства.

— Ушам своим не верю! Ты хоть раз с чем-то согласился, хотя бы в первом приближении.

— Оставь иронию, я никогда не спорю с правдой.

А.Попов

— С чужой правдой, если она совпадает с твоей?

— Я же говорю, оставь иронию. Правда одна, а мы, свои или чужие, просто произносим её вслух.

— Всё, всё, сдаюсь.

— Ну раз так, тогда сделай-ка мне чайку.

— Тебе какой?

— Ты знаешь.

— Ничего не меняется?

— Что нет смысла менять — нет.

— А что есть смысл менять?

— Ничего.

— Понятно.

— Если бы тебе было понятно, ты бы этого не сказала. Делай лучше чай.

— Не груби.

— Я не грублю. Нельзя одновременно делать хорошо разные вещи.

— В смысле?

— Просто делать чай или делать чай для меня. Просто я или я для тебя. И так далее. Когда нужно приготовить чай, просто готовь чай.

— Я не в счёт?

— Ты женщина. Поймёшь это — будешь счастлива.

— Вот здорово.

— Здоровее даже, чем ты думаешь. В твоих системных файлах написано чёрным по белому: «Обрящешь свою сущность — познаешь радость бытия».

— Сущность в подчинении?

— Фу, какая банальность. Подчинение — вторичный фактор агрессии, давления, даже диктата. Я же говорю о естестве. Не женщина в подчинении, но женщина на своём месте. Мужчина — воин, женщина — хранительница очага. Это разные аспекты мироздания. И понимать это каждый может в меру своей внутренней силы и готовности. Или испорченности. От варианта скво и садо-мазо до возможности закрутить вихрем звёздный ветер и слить сердца со Вселенной. Каждый должен исполнить свой долг, познав сущность своего естества.

— И сущность женщины — хранить очаг?

— Это аллегория, хотя, как это ни смешно, и буквальный смысл тоже иногда срабатывает.

— Как скажешь.

— Лесть неуместна. Это должно быть естественно.

— Естественна только бесконечность игры.

— Женщины верят в это, я знаю. Но если хочешь мудрости, помни о том, что это лишь свойство марсиан.

— Марсиан?

— Все женщины — марсиане. Другие условия существования, и как следствие — марсианская половина человечества, свято верящая в безупречность игры. И с этим трудно спорить. Но это всего лишь ментальная заморочка, позволяющая тебе одновременно быть рядом со своей сущностью и тешить самолюбие. Внутренний лис. Но подумай, что движет нами в игре? Желание. Оно искренно. Итак, внутри игры есть одно настоящее реальное место — наше желание играть. Уже неплохо для начала.

— Для начала чего?

— Для начала обретения сущности. Не дожидаясь программных уроков личной судьбы, а экстерном, вливая силу через те немногие искренние места, что есть внутри нас, обходя гордыню, лень и фальшь.

— Тебе с лимоном?

— Да.

— Сахара два?

— Четыре.

— Ты пропадаешь на целую вечность, возвращаешься как к себе домой, будто бы ушёл только вчера вечером, и рассказываешь мне о моей сущности? Ты ничего не перепутал?

— Кто хочет внять — внемлет, кто хочет просто проводить время — просто проводит время.

— И что это значит?

— Это значит, что пространственно-временной континуум и твои координаты в мироздании как сущности — это не одно и то же. Ничего не меняется. То, что мы говорим или делаем, хранится в вечности не дольше, чем пока мы это говорим или делаем. Но наш дух сам составляет вечность. Время не имеет значения, на самом деле. Все значения мы присваиваем вещам сами — из внутренних, глубоко запрятанных корыстных побуждений. Мазохизм в чистом виде.

— Ты ненормальный.

— Марсиане любят ненормальных. Неуверенность в завтрашнем дне пробуждает в них желание жить.

— Про других марсиан я ничего не знаю.

— Не злись. Исходя из твоей логики, ты должна была убить меня на пороге, или как минимум не пустить в дом, или просто послать к чёрту. Но я здесь, ты приготовила мне чай, мы разговариваем — и это нормально. Ненормально опутывать эту картину рассуждениями, упрёками и поисками справедливости.

— Ты жестокий человек.

— Настоящая жестокость вызывает страх, но я не вижу его. Я вижу другое. То, что ты называешь жестокостью во мне, — всего лишь ощущение тобой правильного состояния. Со-стояния, понимаешь? Мы все одиночки. Приходим такими в этот мир и такими же оставляем его. Мы нужны друг другу только для того, чтобы поговорить с собой и оставить потомство. Ты общаешься с собой, я лишь повод, толчок к этому общению.

— Я ужасно соскучилась.

— Если бы я не хотел тебя видеть, меня бы здесь не было.

— Будь проще.

— Я здесь, что может быть проще...

4

— Я всё-таки не понимаю, как ты здесь живёшь один?

— Ко мне изредка заглядывают проблемы, как и ко всем. Потом, когда они уходят, я выхожу на улицу и подолгу смотрю на оставленные ими следы — и понимаю, что первый же ливень смоет их.

— Да, но в остальное время ты один.

— Я не думаю об этом. Поверь, можно очень долго ни о чём не думать.

— Хочешь, я тебе погадаю?

— Попробуй, хотя обычно я это делаю сам.

— Ты скучный.

— Так бывает не всегда.

— Значит, это просто мне не везёт.

— Не криви душой, я не так часто пребываю в прострации, чтобы обобщать.

— Некоторые всю жизнь так проводят.

— До некоторых мне нет дела.

— А до меня есть?

— ...

— Просто мне скучно.

— Ты могла не приезжать.

— В следующий раз так и сделаю.

— Грубо.

— Взаимно.

— Я не грубил.

— Значит, ты — осёл. Как можно говорить такие вещи женщине?!

— Какие вещи?

— «Могла бы не приезжать»... Бр-р-р...

— В таком случае ты, приехав, могла бы воздержаться от упрёков. А то я, видите ли, с настроением своим ей не угодил.

— Но ты же у нас такой умный и внимательный. Мог бы и сделать что-нибудь со своим настроением. Для меня хотя бы.

— Я не хотел бы рассчитывать что-то наперёд. Ты говоришь, что любишь меня, а потом требуешь, чтобы я погасил векселя твоей скуки и амбиций.

— Амбиции — это ты.

— День мог бы быть прекрасным.

— Он и будет прекрасным. Только без тебя. Отвези меня на автобус или вызови такси.

— Как пожелаешь.

— Мог хотя бы извиниться.

— Мне не за что извиняться. Тем более я и так всегда это делаю вне зависимости от объективности.

— Ты?!

— Да, я.

— Ладно, всё! Когда речь заходит об объективности, ты становишься упрямее бетонного столба.

— Я побуду некоторое время бетонным столбом, а ты пока успокойся.

— Я спокойна. Просто ты испортил мне всё настроение.

— Такова изначально была моя цель.

— Не смешно.

— Ещё бы.

— Прекрати издеваться.

— Какие уж тут издевательства, всё так и есть.

— Малости не хватает, чтобы быть счастливой, а именно — понять, почему я всегда одна...

— Если ты думаешь, что в результате понимания чего бы то ни было можно стать счастливым, — без комментариев. То, что мы счастливы, мы понимаем, когда понимаем, что *были* счастливы. Это сказка, которая оживляется нашей кровью и до всего остального доходит с приличным опозданием. Тот, кто в состоянии остановить этот момент, больше никогда не вернётся на эту засранную планетку. А на такие дела уже воля бога. И так тому и быть. У глупцов огромное преимущество. Они считают, что можно войти в один поток дважды... И трижды. И вообще, сколько влезет...

— Я есть хочу.

— Закономерно после такого стресса.

— Какого?

— Нашей десятиминутной беседы.

— Опять.

— Ну, всё, всё, молчу. Что ты хочешь поесть?..

На самом деле больше всего мне нравилось молчать. Почему всё время получается наоборот? Но ведь воздушный змей летает, лишь когда привязан. Привязанность. Полёт на привязи. Или в связке... Как понять? А отвяжи? Беспорядочное движение и смерть. Отвязанное не живёт долго. Отвязное...

Женщины...

Женщины, к которым меня тянуло, которые разжигали во мне огонь, просто находясь рядом.

Женщины, с которыми удобно. Послушные. Ты прав — потому что ты мужчина, никаких нюансов.

Женщины, с которыми нужно оставаться друзьями, потому что они единственные, с кем можно говорить на одном языке, зеркало твоих слабостей и достоинств.

Женщины, с которыми нужно оставаться врагами, потому что ни на кого больше нельзя так положиться...

Неужели всё это нельзя было понять сразу, не оставляя грязных следов в чужих прихожих? Женщина. Настоящая. Твоя. Только когда она уходит, ты понимаешь, что мир уже больше никогда не будет таким, каким он был с ней — струящимся. То, к чему ты лишь стремишься, у неё уже есть, и, уходя, она уносит это с собой. Вот так. Я ждал долго. Наверное, слишком долго. Но это на самом деле, наверное, единственное, что я умею, если разобраться, — ждать.

Кто это?

не знаю
буду ль жив ко времени прихода
мятежных откровений
тревоги нет
и нет боязни тления
и времени пространственного хода
не чувствуется
на небесах лишь облака и тени
от крыл чудачеств разных человека
я бесконечностью закрыл себе глаза
и будто сплю

— Что, статус игрока превыше всего? Представляешь собой малость грустную, скачешь по верхам и балдеешь, разглядывая в зеркале благородный про-

филь? Мир смеётся над тобой, а у тебя всегда есть выбор — смеяться с ним вместе или быть надутым пузырём. Или злорадным пузырём... Даже не соображу, что забавнее...

— Согласен... Но неужели всё впустую?

— А не впустую — это как? Ты сам-то представлял хоть раз — как это: «не впустую»?

— Представлял.

— И что представлял?

— ...

— Пауза затянулась. Что, простых слов не находишь, что ли?

— Нахожу. Всё как в первый раз...

— Что всё?

— Ну, всё через душу, через сердце, через любовь, если хочешь...

— Я не могу ничего хотеть. Через любовь, говоришь?! В этом месте поподробнее, пожалуйста.

— ...

— Ещё одна такая пауза — и можно признавать невменяемым. От ответственности, правда, не освобождает — жизнь-то твоя!

— Хорошо, хорошо. Это как вещество. Всё взвешено по мере. И страсть, и единение душ, насколько возможно — скромность, чуткое понимание, красота... Но...

— В обоюдном режиме, разумеется? Ты-то сам как насчёт чуткого понимания, скромности и так далее?

— ...

— Всё! Невменяем!

— Да нет!

— Так да или нет?! А то трудно переводить на английский!

— Да...

— Дальше.

— Я виноват. Всегда сам...

— Не то! Чувство вины — это параноидальное состояние диалога человека с самим собой. Дальше.

— Ладно, никто не виноват. Нет вины. Есть проблема. Решаем проблему?

— Ну, дальше, дальше!

— Проблема всё равно во мне...

— Тоже мне, Архимед!

— Вероятно, не хватало смелости...

— Хватало. Смелости всегда с избытком. Остальное — вопрос своевременности. Дальше.

— Может, внимания не хватало? Провидение там, знаки и всё такое...

— Хватало внимания. Никто не может видеть и слышать всего. Даже если хочет. Это не криминал. Дальше.

— Сомнения чрезмерные, нехватка уверенности в собственных силах...

— Сомнения чрезмерными не бывают — они или есть, или их нет. А про нехватку сил кто нашёптывает?

— Кто?

— Ну, другая сторона сомнений...

— ?..

— Убью сейчас!

— Самолюбие?..

— Молодец! Вот и докопались до механизма примитивных метаний человеческих. У вас ведь как получается — нет сомнений — вы само смирение. Пра-а-авильно — можете себе позволить. А если вдруг слабина где какая, тут вся ваша чванливость на дыбы. Классический сюжет: чем меньше вошь, тем больнее жалит. Люди не имеют привычки по доброй воле расписываться в собственной несостоятельности. Состоятельность — это когда стоишь рядом с кем-то. А несостоятельность — это когда далеко. А далеко — это сильно одиноко, да? Но самое ужасное, что слабостями вы именуете, как правило, свои редкие попытки быть по-настоящему искренними с миром и с собой...

— Устал.

— Да ты что?! А непрерывность так не даётся — даром.

— Устал я...

— Угу. Заезд триста восемнадцатый, участники те же... А на триста девятнадцатом — финиш. Полный финиш. Так что лучше иди и застрелись сейчас, впереди всё равно только смерть. Порвёшь ты порочный круг или нет — ей всё одно.

— Нет.

— Не-е-ет? А тогда устал ты или ещё чего — продолжим.

— Продолжим, если время будет.

— Не понял?

— А тут и понимать нечего. Со смертью договоров не заключают — сроки плавающие.

— Ах, вот ты о чём! Умным, наверное, себя считаешь?

— Считаю.

— Пусть так, пусть так... Время ведь очень странный предмет. Оно если есть, то его сразу нет... Хм... В общем, оно — абстракция, призрак. То, что вы называете течением времени, — всего лишь градуированные интервалы от события до события. Чтобы поближе подобраться к настоящему времени, надо сначала более мелкие проблемы порешать. Например, как жить, чтобы потом не было обидно... Или как мудрость совмещать с гордыней, которая всегда зло творит. Всегда и пренепременно, заметь.

— И в любви?

— А как же, и в ней! В истинной любви, брат, весовых категорий не бывает. Там дух животворящий, объединённый действует без границ и правил. Но до такой любви человек дорасти должен. Она — великий дар. И как всякий великий дар требует от дары принимающих соответствующего роста. Стучите — и отворят вам. Иной и яичницу жарит, в любви весь с головы до ног, без маяты и чувств супротивных.

— Не понимаю я, не вижу. Порой совсем ничего не вижу. Сам устаю от этого. Кажется, что нечестность какая-то закрадывается везде. Даже не

так — я сам её порождаю, нечестность эту. С виду вроде всё нормально, правильно, а на поверку — хитросплетения. А вот чтобы по прямой, к главному...

— Да, дружок... Но прямая дорожка — ой как проста. Кому сказано: «Бойся Бога, ибо в этом всё для человека». Разумеешь ли?

— Не пробовал.

— А вот когда разумеешь — прав ты. И прав бог в тебе. К главному подъехать... Ты его вдыхал хоть раз, главное-то, полной грудью, а? Эх ты, герой — штаны с дырой...

— Бойся?.. Да при чём здесь?!

— А кто говорит о страхе?! В истинном Слове великая ширь, черти вы узколобые. Бойся совершить ошибку! Бойся не Бога — бойся не использовать данности, бойся лжи — не обмани себя. Ты и есть Бог. И Бог молит тебя, а не угрожает. Будь светлым — и жизнь твоя будет свет, а нет — жизнь твоя будет тьма тьмущая. Бойся — это бой с Я! Заповеди — это не карточные правила. И не вопрос удачи. И не смирение. Это маленькое окошко света в тёмной пещере страстей и мытарств человеческих...

— Да ты кто вообще такой, чтобы...

— Я бы на твоём месте за сковородкой лучше следил, чем дурацкие вопросы задавать!

Яичница сгорела...

Сосед справа
(продолжение)

Бьются сухо бьются с треском
Стебли тонкие травы
Друг о друга и над лесом
Смотрит полный глаз луны
Хмель забытый первозданный
Ясной ненавистью в кровь
Как полночный гость незваный
Вихрь сеет нелюбовь
Луны полные выходят
как охотники на гон
Ветров псарню бьёт в ознобе
В предвкушении погонь
Век от века год от года
Ждут попавших на крючок
И танцует непогода
Как взбесившийся волчок

Снова осень... Первые заморозки. Первая крупа островками среди звенящей травы. Прошло около года, как Иваныч перебрался в свой дом. Однако всё, что я до сих пор мог сказать о другом своём соседе, складывалось лишь из наблюдений через окно кабинета на втором этаже. Иногда, заслышав шум щебёнки с его стороны, я подходил к окну и смотрел, как он выгружал что-то из своего старенького «Фольксвагена». Чем он занимался, я так и не выяснил, хотя, как правило, жители деревни были словоохотливы и весьма информированны обо всех местных и приезжих. Единственное, что мне удалось выведать, — это то, что его зовут Игорь и он «оч-чень странный молодой человек». Поговаривали, что когда он начинал строиться, понагнал много техники, сразу же поставил глухой забор метра на три, рыл котлованы, что-то бетонировал... Со слов местных, когда пыл и дым строительства рассеялись и первые любопытные повисли на невысоком заборе, сменившем первый, их взглядам предстал небольшой, но опрятный дом и огромного размера несуразный сарай посередине двора.

На мой поверхностный взгляд, уклад его жизни не располагал к общению с себе подобными, что было мне близко, хотя и неприятно. Как любой интеллектуальный сноб, я считал обособленное существование личной привилегией и с подозрением относился к любому, рассуждающему на эту тему и уж тем более демонстрирующему аналогичное поведение. Но именно поэтому меня и тянуло к нему. Плюс отсутствие информации. В нашем мире загадочность не котируется и вызывает у людей сначала желание проникнуть в тайну, а в случае неудачи — чувство отчуждённости или даже агрессию. Я не искал повода познакомиться, для этого всегда можно было просто выйти на улицу и постучать в калитку. Скорее я был готов к общению, а сформировавшийся мотив должен был сам создать соответствующую ситуацию, где по воле высших сил все будут расставлены по своим местам и таким образом всё будет правильно и своевременно. Так оно и вышло позже, естественно.

За долгое время моих случайных наблюдений за Игорем из окна второго этажа я несколько раз видел у него красивую высокую женщину с чёрными волосами. Ещё весной я стал невольным свидетелем сильной ссоры между ними. А в начале лета появились дети. Мальчишка и две девочки. Из чего я сделал вывод, что ему удалось выторговать их на летние каникулы. Всё как у многих. Ничего особенного.

Наше знакомство — а точнее, наш первый разговор, — случился при совершенно обыденных обстоятельствах. Как-то вечером, вернувшись домой, я обнаружил у себя в почтовом ящике плотное казённое письмо, где в графе получателя стояли его адрес и фамилия.

— А-а, понятно, — сказал он, поздоровавшись. Вскрыл конверт, быстро пробежал глазами содержимое и швырнул всё в картонную коробку, стоящую у стены в прихожей. — Чайку́?..

За очередной чашкой чая

Сегодня безупречно вышел мазок
В левом верхнем углу холста
Но сомнения тяжёлых рам
Стёрли радость из глаз и с лица
И никто не пришёл чтобы им
Поставить это в упрёк
Я устал и прилёг на ковёр
Головою у самых ног

«...Странный случай зарегистрирован сегодня в... Выехавшая на место группа экспертов склоняется к версии массового гипноза... Люди утверждают, что на несколько часов как бы выпали из жизни... другие склонны утверждать более эмоционально... всего зарегистрировано около полутора тысяч... напоминаем вам, что это не первый случай подобного рода... по непроверенным пока данным... но первый такого масштаба...»

— Выключи ты эту галиматью!

— Ты слышал?

— Слышал. Ну и что?

— Ты же сам говорил — следи за странностями, ничего не происходит случайно.

— Говорил. Ну и что? Ещё один случай вырос до размеров мини-сенсации — и об этом стоит потрубить пару дней. Шоу-бизнес, знаешь ли. Рейтинги повышают стоимость рекламного времени. Делов-то.

— А в чём же тогда неслучайность?

— У них рейтинги, а у тебя — событие. Но событие в ряду, событие ко времени, событие, воспринятое тобой неким образом или даже просто воспринятое, — это не случайность. И начиная с какого-то момента, не случайность спрашивает: «Что дальше?»

— Ну, я же серьёзно.

— А я ещё серьёзнее. Ты опять не понял — это не шутка. Тебе нужна оценка? Пожалуйста. В периоды нестабильного прогресса или стабильного регресса человеческой расы, называй как хочешь, вопрос целесообразности существования текущих форм жизни всплывает у них там, наверху, на повестке дня каждый миг. Напряжение в «сети» достигает предельных величин. В этот период учащаются неконтролируемые взаимопроникновения так называемых тонкого и физического миров. Ввиду несоответствия их пространственно-временных континуумов, подобные взамопроникновения могут приводить к мини-провалам времени и прочим спецэффектам. Это, на самом деле, происходит иногда единичными случаями. Но когда подобным образом накрывает географические районы — это значит, что в мероприятии задействована аура матушки Земли, а это уже другие порядки взаимодействий. Верна и обратная логика: если нам с тобой по телевизору рассказывают о мини-коллапсах временного континуума, соотносимых с масштабами энергетического поля Планеты, значит, всё то, о чём я только что говорил, происходит прямо сейчас, понял?

— Не очень.

Мы замолчали ненадолго, потом он продолжил.

— Давай проще. Вернадский в своё время ввёл понятие ноосферы, назвав Планету вместе со всем живущим на ней единым организмом. Самостоятельным организмом, мыслительные и чувственные процессы которого протекают в несколько иной плоскости или на другом уровне, чем наши отдельно взятые человеческие. Пока, во всяком случае. Мы, люди, являемся одновременно и самостоятельными созданиями, и частью нечто большего. И лишь на том уровне, что принято пространно называть «духовным», мы можем воспринимать то большее, частью чего являемся. От взаимодействия мыслящих существ с Планетой в целом зависит состояние этого организма — назовём его «планетарной матрицей», например. Любое событие, стихийное или человеческое, — это в любом случае событие планетарного масштаба. Будь то магнитная буря, торнадо, извержение вулкана или просто солнечный день. Это с одной стороны. С другой — войны, смерть и рождение людей, любовь, «голосуй, а то проиграешь» и так далее. Всё это — проявления колебаний планетарной матрицы. Эти колебания рождаются как результат человеческой деятельности в совокупности с деятельностью существа, частью которого является само человечество. Каждый из нас в любое мгновение отвечает за всё происходящее на Земле. В своей мере, естественно, но отвечает. — Игорь закурил. — Да ладно, не бери в голову. Всё это, конечно, не радует. Но принципиально изменить что-либо не в наших силах. Пока, по крайней мере. Поэтому нужно наблюдать и быть готовым.

— Готовым к чему?

— Помнишь, было такое сравнение, что человек на земле, этот неутомимый покоритель природы, что блоха на собаке? Так вот я тебя как блоху спрашиваю — к чему нужно быть готовым, Андрюха?

— Да к чему угодно!

— Правильно: собака — база ненадёжная. А теперь я спрошу тебя как человека на Земле: к чему нужно быть готовым? Можешь не отвечать. Вопрос риторический. Разницу масштабов надо уметь переживать. И всё же когда мы говорим о том, что *может произойти*, мы имеем в виду рост цен на бензин, смерть и рождение близких, войны, в конце концов, и всё-всё-всё, что мы знаем. Мы исходим из посыла, что жизнь в той ипостаси, что у нас перед глазами, — незыблема, хотя и фатальна. А если жить, зная, что от ежеминутного состояния твоего сознания зависит исход голосования «быть ли вообще человечеству на Земле»? Исход великой битвы. Кто сможет? Подсознание нашёптывает: «Чего ты голову-то забиваешь! Жизнь незыблема, а смерть неизбежна — значит, полный порядок». А если вот так сложился баланс сил, что от качества твоих помыслов зависит весь род людской? Пришли к тебе и говорят: «Парень, ты уж не подведи — вся надежда на тебя».

— Да-а уж, придут...

— Да уж приходили!

— Кто?

— Люди, боги, пророки, мессии...

— Ну, это ж не ко мне... И потом — это когда было-то? Если вообще было! Культурные слои, они, знаешь ли, сначала слои политические. Потом — мемориальные. Затем — ритуальные. И только потом...

— Что значит не к тебе, умник?! К каждому, дорогой, к каждому они приходили. И твоё это «на самом деле» — на самом деле не имеет никакого значения. Идея-то есть. То есть — информация дошла! А когда — это вообще неважно. Нет никакого времени — есть лишь изменения масштабов взаимодействий. И с какого-то момента масштаб может вырасти настолько, что в мировом информационном поле не шелохнётся ни один регистр, прости за косноязычие, когда человечество исчезнет, как пылинка при столкновении великих сил. А на самом деле — это просто собака перевернулась на другой бок. И пространство, и время, и вся наша жизнь, какой мы её знаем, — лишь проявления духа. И твоего, кстати, тоже, блоха. Сколько угодно можно умничать вокруг причинно-следственных связей. Или умиляться процессом поиска первочастицы. Никакой разумной твари не дано постигнуть алгоритм, внутри которого она находится. Он обманет её. Ибо она — часть его. Это очевидно. А вот если какому-нибудь ключевому атому вдруг соринка в глаз попадёт в третью среду июня месяца, и он от раздражения просто возьмёт себе и расщепится, вот тогда, безо всяких якобы причин, нам всем просто придёт... конец.

Конец

Сегодня тьма опутала нас
И в линзах глаз
Отражаются тени
И волна смятения
Поднялась
И бросила
Пленниками
В чары и танцы
Вымерших рас
Ещё один раз
Ещё одно поколение

8.30

Сны. Хаотичные, цветные... До первой мысли... До первого включения.

Можно заставить себя не включаться. Две. Три попытки. Потом природа берёт своё — тело больше не может находиться в анабиозе. Появляется испарина, первые признаки головной боли. Всё, нужно выходить.

8.33

Открываю глаза. Серый призрачный свет. В дальнем углу комнаты ночник вырывает клочок у рассветной серости жёлтым приятным пятном. Глоток воды. Сигарета. Главное — не пускать мысли. Пока их нет — нет и меня. Я лишь сторонний наблюдатель, никем не замеченный. В безопасности...

8.38

Всё. Сигарета вдавлена в пепельницу. Дальше автопилот — семнадцать шагов до кнопки чайника, душ, план на день, как рой москитов в голове, или как отрава... Непонятно, от чего это зависит.

8.40

Тёплая вода. Горячее. Я мог бы просидеть под душем, наверное, весь день...

9.42

Чайник придётся вскипятить ещё раз.

9.44

Много лимона, много сахара. Я оживаю. Включаюсь до конца. Чёрт! Выйти из дома нужно было полчаса назад. Ощущение такое, будто вся жизнь не удалась. Гадость какая!

9.46

Чай расслабляет. В конце концов, если я куда-то опоздал, значит, нечего мне там и делать. По крайней мере, сегодня. Вдруг там засада? Звёздам виднее. К едрене матери их всех, с их заморочками. Что за толк делать все эти бесконечные дела, если и так понятно, что чем закончится? А главное, что все эти мероприятия как-то в стороне от жизни, от сердца. Делаешь что-то, делаешь, крутишься, а в результате? Неужели только ради того, чтобы не сдохнуть от тоски, чтобы не чувствовать себя одиноким? Неужели все наши мнимые дела есть лишь порождение нашей собственной лени? Да не может быть! К чёрту! Никуда не поеду сегодня. Где телефон? Надо выключить звук и засунуть аппарат куда-нибудь подальше. Вечером посмотрю, кому я там понадобился.

9.47

Погода располагает — тепло и моросит дождь. Может, ещё поспать? Бездарно...

9.49

Пойду почитаю немного для начала. Та-ак, что у нас здесь?.. Рыться в книгах — удовольствие, всегда можно найти что-нибудь.

10.08

«Красногвардеец».

...Слоняться буйной оравой.
Стать всем своим невтерпёж.
И умереть под канавой
Расстрелянным за грабёж.[4]

---

[4] Максимилиан Волошин. Отрывок из стихотворения «Красногвардеец» из книги «Неопалимая купина». 1919 г.

Ну, отлично! Что может быть более кстати сегодня? Вообще, конечно, всё последовательно — толпа, вседозволенность, бред массового сознания и смерть. Он написал это уже в Крыму, сбежав из Одессы, охваченной красным террором. Сбежал, я думаю, потому, что не очень получалось, хотя и хотелось, оставаться в чистом искусстве среди погромов, хамства, грабежа и расстрелов. Когда читаешь в газете о гибели ста человек — тебя это мало беспокоит. Когда босяк харкает непосредственно в твоё лицо, грозя револьвером, — думать о высоком слоге тяжеловато. Надо делать ноги. Мы все в душе или красноармейцы, или бегущие от них. Бирюльки для взрослых мальчиков и девочек. В красные, зелёные и голубые играй, а в чёрные, жёлтые и коричневые не играй. Какая разница? Бр-р-р-р... А разница в том, что когда одни насилуют дочерей своих братьев, другие распевают «Народу Русскому: Я скорбный Ангел Мщенья...»[5]

10.11

Надо поесть. Пожалуй, это будет омлет. Большой, из пяти яиц, со слегка обжаренным луком, помидорами, в корочке запёкшегося сыра и в конце посыпанный мелко нарезанным укропом. Пара бутербродов со сливочным маслом. Да, ещё пара сосисок, порезанных и обжаренных, с холодным нежным горошком на гарнир. Чашка кофе с молоком — это с бутер-

[5] Максимилиан Волошин. Отрывок из стихотворения «Ангел мщенья», 1906. Париж.

бродами. С омлетом и сосисками — пиво? Нет. Вино. Где-то стояла бутылка со столовым красным... Есть. Отлично.

10.27

Ну-с, начнём.

10.35

Готовить приятнее, чем есть. Честное слово. Готовить — это стильно. Просто многие из нас уже забыли, что такое чувство настоящего голода. Пожирать глазами — вот удел нашего времени. В прямом и переносном смысле. Голод утоляется быстро, а на алтаре стиля медленно прогорают время, здоровье и личная сила каждого, предназначенная для чего-то большего.

11.14

Поев, выхожу на улицу, прихватив с собой кофе. Поднялся сильный ветер. Холод отрезвляет и собирает в кучу. Можно было бы побежать, прямо через поле, туда — откуда он дует. Найти место, где он рождается, и полететь, полететь вместе с ним. Над домом, над городом, над дорогами, над толпами и над суетой. Лететь громко, посылая всё к чёрту...

Грозовые облака почти до сумерек сгущают дневной свет, и от них начинают отрываться и падать с шумом на землю крупные капли воды. Не может быть, чтобы вся эта красота танцевала только для нас...

Духи видят нас в потёмках
Электрических сует
Духи рыщут над позёмкой
В каплях ночи чуя свет
Духи видят нас больными
За стенами кирпича
Духи буйствуют здоровьем
По равнинам топоча
Духи видят наши судьбы
Перевёрнутые вспять
Духи будут ждать когда мы
Здесь появимся опять
Чтоб увидеть нас больными
За стенами кирпича
И испуганные лица
За спинами хохоча

11.37

Сижу на террасе и курю в метре от сплошной стены ливня. Сигареты и дождь как-то связаны друг с другом. Не знаю как, но я выкуриваю штуки три подряд, прежде чем отключаюсь от картинки. Всё-таки слишком холодно...

11.52

В доме как-то пусто, неуютно. Может, посмотреть, кто звонил? Нет — это всё равно что влезть в рой комаров. Открываю бутылку молока, ставлю диск и ложусь на диван. Накрываю ноги пледом. «Облако-рай»[6]. То, что нужно! Никакой патетики. Не считая самой песни — одна сплошная вера в человека...

---

[6] Режиссёр Николай Досталь. 1991 г.

13.12

Фильм закончился. Вместе с ним закончилось полуторачасовое замещение. Если бы кто-то позвонил или пришёл, цикл замещений продолжился бы. Но телефон выключен. Ад — это когда нельзя улизнуть, когда непрерывно приходится быть самим собой, не соглашаясь с этим. Родиться людьми и мучиться, изо всех сил пытаясь оставаться ими. Да мы просто не знаем, с какой стороны подходить к благодати. Туристы, блин!

13.15

Пожалуй, надо выпить. Допинг. Может помочь. Или сделать ещё хуже! Да ладно... Вторая, третья... Четвёртая рюмка. ложусь на пол и закрываю глаза. Господи, как бесконечно давно я не был счастлив. Это ужасно больно — не помнить счастья. Уж лучше бы я не испытывал его никогда. Сожалеть глупо...

Небольшой сруб под развесистым, очень старым дубом. Ранняя осень. Солнце уже растаяло в крыльях далёкого циклона над горизонтом. Багрянец неба, тишина и покой. Можно умереть от счастья. И журавли...

Росчерком пера
На который упала
Капля воды
Быстро стекая
Расписалась стая
На розовой гуаши
Реактивных следов
За ступенью лесов
Туманами тая, тая

13.47

Тащусь к столу. Может быть, сегодня придут слова. Ещё глоток коньяка. Бумага, карандаши — все остро отточены... Со словами всегда творится что-то странное. То они цепко и твёрдо расчерчивают лист, создавая фигуры, которыми любуешься, то вьются замысловато, бесформенно и бесцельно, пачкая бумагу и мысли...

А бывает, как сейчас, начинают вдруг ни с того ни с сего выворачиваться наизнанку, заглатывая свой хвост, закручиваться в ленту Мёбиуса. Слово, потом мысль, образ, потом воспоминание, а затем настоящее живое существо, что несёт перед собой этот образ как транспарант. Потом его мысли... А затем всё рушится, мир приходит в негодность... Слова. Они разрушаются в голове. По одному и тысячами, они втягиваются и пропадают в воронке невосполнимого времени. Страна мёртвых слов. Слов, за которыми буквально больше ничего не стоит и после которых уже, вероятно, ничего не будет. Скорее всего, они всегда были лишними, пустой оболочкой, камуфляжем, скрывающим что-то недоступное и холодное, нечеловеческое...

Слова, слова
Я был богат словами...
Но кануло.
Их заменило знание
Простых вещей в природе человека...

Предметное мышление, лишённое опоры содержания.

Предметов больше нет. Смешно...
И нет боязни тления.
И мир неадекватен сам себе.
И жизнь,
В круги мишени сузившая время,
Сплетает лотос в образе, вовне...
Держи-ись!!!
За те слова, в которых...
В которых пыль?
Или в которых смрад?
Ты кто?
Я хаос.
Боже!
Тень его всего лишь.
Не бойся и не оставайся здесь.
Инверсия сознанья и бытья
Свершилась!
Чудо стало явью.
А явь, обрюзгшая пыльцой материи, вдрызг!
И разлете-елась...
Ха-ха-ха-хаа...

Вначале было Слово.

18.14

Выскакиваю из дремоты. Заснул, полулёжа в кресле. Кажется, что-то снилось. Недопитый чай остыл. Курить не хочется. Похмелье тяжёлого дневного сна, хмарь и тоска... Наверное, можно ещё сделать что-то толковое, как-то умно и внимательно распорядиться остатками вечера, а не валяться тут, как болван, занимаясь самоедством и отказываясь принять очевидный факт банальной, а посему практически неуязвимой лени. Фон, фон, фон... Печаль — фон нашей жизни. Диктатура разума. Нужно встать и улизнуть куда-нибудь — незаметно. От дома, от себя, от мыслей. Что-то перенастроить, наладить, запустить по новой и вернуться. Ещё один раз...

18.14

Она идёт по улице. До конца рабочего дня оставался ещё час, но она, сославшись на дела в фонде, ушла. Просто без причин. Уже не было сил находиться внутри этого вязкого общения и нудных обязанностей. И вся эта тягомотина только для того, чтобы купить сыну новую куртку и ботинки, оплатить счета за квартиру и обучение дочери, дать немного денег матери, чтобы она не моталась по всему городу, пытаясь сэкономить. И, может быть, иногда позволить себе расслабиться в компании знакомых, но совершенно чужих людей, забыться, пофлиртовать. Чтобы тоска не слишком позволяла себе высовываться — её гримаса с каждым годом становится всё невыносимее.

Дома, фонари, неуютный озноб от промозглого воздуха. И пустота. Пустота мыслей и чувств — давно выработанный щит самосохранения. Женщина... Что может чувствовать цветок ириса, брошенный под ноги рыночной толпе? Как долго ещё сможет он сохранить первозданный дух степной вольности и горных ущелий?

Она идёт медленно — улица тянется, но скоро наступит конец... Заплёванная лестница, турникет, толчея, ни одной улыбки на лицах... Надежда — это маленький атом где-то в глубине сердца. Один-единственный. Если бы не он — шаг в сторону с ежедневной тропы и падение, вечное парящее падение. Как наркотик...

18.14

Он проснулся от въедливого писка будильника. Ночью пришлось работать — совершенно не хватает времени. Долги растут быстрее, чем успеваешь их отрабатывать. Сначала родители — переезд из Ташкента, выкуп дома, потом пришлось оставить съёмную квартиру в городе — слишком дорого. Потом болезнь, целый месяц как в тумане, несколько аварий из-за потерь сознания за рулём — работу бросать нельзя, — больше некому, — как всё обошлось без последствий, до сих пор непонятно. Теперь вот сын — две недели от роду, — порок сердца, только операция, деньги — три тысячи долларов, разве это деньги? Тьфу, но их нет... Найдём!

Он встаёт. Пригоршня холодной воды в лицо. Сигарета. Чашка крепкого кофе. Нужно ехать в город. Ещё одна сигарета — уже за рулём. Фара не горит три недели... Прорвёмся!..

18.14

Дома никого. Бабушка с младшей сестрой ушли на танцы, раньше чем через час никто не появится. Привычное беспокойство удаляется, уроков немного, если не вникать, а просто отработать — за полчасика можно управиться. Читать неохота, можно погонять в приставку, а то потом придёт мать — и уже не поиграешь, может, удастся побить свой последний рекорд, быстрее бы уже лето...

18.14

Чёрт бы подрал всё на свете! И этот город, и эти пробки, и эту погоду... Если он не будет на месте через пятнадцать минут — скандал, ведь выехал же специально на полчаса раньше, как назло, ну почему именно сегодня, Господи, будет когда-нибудь покой или эта поголовная шизофрения сожрёт нас всех живьём?!.

18.14

Это их первая поездка. Солнце у горизонта, море, денег хватит на всё время, и можно ни в чём себе не отказывать — он позаботился. Господи, какое же это счастье! Банально, но тёплый песок и гладь океана не исчезают и не становятся менее прекрасными. Он прижимается к её бедру и чувствует щекой песчинки. Её запах. Сон. Беззаботный ласковый сон...

18.14

Она сидит в кресле и читает программу телевидения. Вчера был день рождения — семьдесят восемь лет. Без него — девять последних. Память уже не та, туман... Дочь с зятем заезжали. Всегда спешат. Внук звонил. Телефон и телевизор — единственная постоянная связь с миром. Господи, как же не хочется умереть вот так, среди одиноких стен со старыми обоями, в клубах редких воспоминаний, одной... Никто никогда не поймёт старости, пока она не придёт к ним самим! Правнуки, маленькие воробьи, сколько ужс пе видела их, и мысли... А если сегодня? Хоть бы во сне — так не страшно... Взглянуть бы на них хоть ещё разочек...

18.14

Резкий толчок сотрясает дом до основания...

Проснись, челове-ек! Живя блохой на собачьей шкуре, надо быть готовым ко всему!

Несколько раз в горах я переживал лёгкие землетрясения — эти ощущения были мне немного знакомы. Знакомы, не знакомы, а со школы засевшее в голове: «...избегайте оставаться в зданиях при землетрясении», — выносит меня из дома на улицу. Правда, по дороге я успеваю вполне сносно одеться, не забыть сигареты, зачем-то прихватываю из холодильника начатую бутылку водки и сую в карман краюху чёрного, лежавшую на кухонном столе. Вот и разбери-пойми потом: вместо того чтобы взять нож, фонарик и спички, русский берёт сигареты, водку и ковригу хлеба. Причём последнее — больше в качестве закуски. Ассоциативные ряды, чтоб их! Цивилизация недоразвитых переростков...

За эти пару минут я ничего не оцениваю, не сопоставляю — концентрация действия не оставляет ресурса на мысли. Оказавшись на улице и осознав, что нож, фонарик и спички остались в доме, я быстро оглядываюсь. Оглядываюсь ещё раз... И ещё... Что-то не так... Ещё толчок. Всё-таки землетрясение... Это нормально... Ну, более или менее... С учётом того, что последнее было в этих краях, наверное, много миллионов лет назад. Всё равно — более или менее нормально. Но что-то изменилось. Изменилось у меня на глазах... На глазах... Свет! Всё. Понял. После первого толчка, пробегая мимо окна, я отметил, что было ещё светло, ну разве что самые первые признаки сумерек. Я выхватил из кармана мобильный — 18.16. Было слишком темно. Не ночь. Нет. Не тьма... Просто было *слишком* темно.

И ещё что-то. Было что-то ещё... Я бегу к калитке, дёргаю на себя... Волосы шевелятся на голове! Вместо привычного всхлипа петель звук режет по ушам, как милицейский свисток, — и я встаю как вкопанный. Звуки! Звуки другие. Нет, нет! Не звуки... Фон! Фон, как бы не слышимый, на который никогда не обращаем внимания. Фон, собирающий в себе всю гамму звуков нашего мира, — он стал другим! И словно в зеркале злых троллей, все обычные звуки отразились в нём, как песни чертей. Ощущение было слишком сильным — по телу холонуло. Маленький провал в самоуверенности тут же заполняет паника. Пшла вон! Ощущения ощущениями, толчки толчками, а я-то здесь, стою на улице. Холодно, октябрь, вечер... Или ночь... К чёрту! Поднимается ветер. Вы когда-нибудь вдумывались в смысл выражения «поднимается ветер»? Смысл простых вещей всегда доходит до нас слишком поздно. Ветер *поднимался*! Как былинный великан, он вырастал из земли, расправлял плечи — призрачный демон от горизонта до горизонта. Любимый спецэффект в расхожих голливудских фильмах. Он вышел из наших фантазий, перешагнул через нас — и вот он здесь, чтобы раздавить, сломать, стереть даже память о нас.

Шок пригвоздил меня к земле среди пляшущих теней и взмывающих в воздух ошмётков... Игорь!!! Вот ёлки зелёные! Игорь же! Дети вчера приехали с ним! Застывшая кровь вновь устремляется по каналам. Надо помочь. Бегу в сторону соседнего дома, озираясь, как зверь, и придерживая на ходу болтающиеся карманы куртки с водкой и хлебом. Калитка открыта. Срабатывают сенсоры — и зажигается свет. Не успеваю добежать — входная дверь распахивается — я вижу в световом проёме маленькие фигурки, с какими-то сумками, рюкзачками. Останавливаюсь. Они тоже. Я понимаю, что они аккуратно одеты, спокойны, и только бегающие глаза выдают неуёмное, никогда не унывающее и направленное во все стороны вселенной детское любопытство. Ни капли страха. Он ещё не дан им в полной мере.

Пространство сгущается тьмой, жуткие порывы ветра и свет дверного проёма, как светлячок в тихой заводи бушующего ураганом леса.

— Привет! — я поднимаю голову.

— Ничего не говори, ни во что не встревай. Просто иди за нами... Если хочешь выжить, конечно, — за спинами детей появляется Игорь.

У мира вокруг нас, как у больного, поднимается температура. Эта мысль немного успокаивает — раз есть больной, значит, будет и доктор. Ассоциативные ряды... Да... До чего ж мы всё-таки примитивные создания!

— Да и мне помощь, честно говоря, не помешает... У меня тут... Ну, в общем, давай за нами.

— Ты знаешь, что происходит?

— Знаю.

— Ну и...

— Времени нет совсем, потом поговорим, или сам всё поймёшь. Если нам повезёт, конечно... Идёшь?

— Иду... Только у меня с собой...

— Ничего не надо! Времени нет совсем.

В этот момент в кармане звонит телефон — я достаю его и машинально смотрю на определитель. Одновременно Игорь делает шаг вперёд, мягко перехватывает руку, забирает из неё звонящий телефон и с силой бросает в сторону забора.

— Ты что?!

— Не надо отвечать!

Какая сволочь всё-таки придумала определитель? И телефоны эти, и вообще всю эту галиматью! Должен ты быть с кем-то — будь с ним. И определять ничего не надо — всё определено. Слюнтяи!

— Ты не можешь ничего изменить и никому помочь. Это *конец*, дорогой. Твоё слово уже ничего не изменит, и после твоего слова уже ничего не будет.

Имя на определителе отдаляется, буквы тают... Боль, тупая боль. До тошноты...

— Почему ты не дал мне ответить?! — Звук голоса переваливается через комок в горле и срывается на хрип.

— На мой и звони куда хочешь! — Реакция моментальная. — У меня хороший аппарат — на приёме стабилен, батареек дня на два тебе хватит. А чтобы определиться, у тебя есть время, пока мы бежим до сарая, плюс пара минут после того, как мы туда войдём. Извини, Андрюха, но объяснять некогда. Будь здоров, желаю тебе удачи. Ну, охламоны, все всё знают, быстро побежали, никому не отставать!

Чужой телефон, как громадный мёртвый африканский жук с вывернутыми внутренностями, вызывает бешеное отвращение — и летит вслед за первым. Игорь с детьми быстро бегут, согнувшись, к чернеющей глыбе несуразного строения посередине двора.

Куда они идут? Он что, хочет в этом сарае землетрясение переждать, что ли?..

Я уже не вижу их, когда следующий толчок прерывает мои мысли и превращает в сжавшееся от ужаса животное. Страшно было то, что всколыхнулась не земля — ноги как влитые держались на ней, — воздушная волна, мощная и тяжёлая, вздохом невидимого призрака опрокинула меня на землю. Как если бы кто-то сильно качнул большую ванну, в которой вы плаваете. Я упал как скошенный. Одновременно раздался грохот. Мои глаза — глаза сжавшейся до размера песчинки человеческой твари, вмятой в землю, — всего лишь одним вздохом Творца впитывали в себя безумно-феерическую картину всего происходящего: срывающиеся с деревенских домов кровли; растерянно разметавшие свои ветви и гибнущие десятками деревья; обломки, ошмётки неизвестно чего, как взвесь парящие в пространстве, уплотнившемся настолько, что, кажется, нет в нём уже места ничему, кроме дьявольской оргии стихий и смерти. *Хорошо, что мы не в лесу, а то сейчас бы уже дало бревном по голове...*

Вскочив на ноги и сильно согнувшись, я прорываюсь сквозь муть в сторону, где должен быть сарай. Его нет. Вторая волна бросает меня на несколько метров, на груду обломков досок и шифера. Какой-то странный гул вокруг, как будто чуждое вещество пытается проникнуть в тело. Света уже нет, нет ничего, кроме жалкого, бессильного желания сохраниться, избегнуть... Я втискиваюсь в какую-то щель между досками и вижу впереди на уровне земли полоску света, которая становится всё у́же, у́же, у́же...

— Сто-о-ой!!! — Мой голос — это не звук, это открывание рта и первородное, инстинктивное желание избежать той неимоверной силы, которая, как мне кажется, вот-вот накроет сзади удушливой и неизбежной волной. Гул вещества становится всё ниже и заполняет меня изнутри. Я задыхаюсь.

— Сто-о-ой!!! — Я не слышу своего голоса, но мне кажется, что полоска колеблется.

— Сюда! Быстрее! Ты нас всех угробишь, чёрт тебя побери!

Я протискиваюсь вперёд, режу руки об осколки шифера и чувствую, как с очередным вздохом земли на спину наваливается тяжесть. Красные круги ужаса застилают глаза, тело трясёт, как в лихорадке. Вдруг полоска света резко расширяется. Я чувствую рывок за ворот куртки — и падаю. Вспоминаю о бутылке водки в кармане и теряю сознание. *Это конец, конец...*

«Что будут стоить тысячи слов, когда важна будет крепость руки...»[7]

Капсула

Передёргивает красным — отойду,
Без печали и без тени
Постою на берегу.
Вопреки посулам неба,
Вопреки,
Я корабль рисую мелом
На песчаном дне реки...

ТЕСТ НА КРЕПОСТЬ НЕРВОВ:

Если вас сбросят с очень высокой скалы, вы будете считать секунды, пока летите, или умрёте от ужаса раньше удара о землю?

Что бы вы ни думали, весь ужас в том, что вы наверняка будете считать!

---

[7] Виктор Цой, «Кино», 1987, песня «Мама, мы все сошли с ума».

— Очнись. Да очнись же ты наконец! — Это Игорь. Его голос плохо различим на фоне переполняющих пространство вибрации и гула. Запах гари. — Ну?.. Понимаешь меня? Слышишь, что я говорю?! Не двигайся никуда, сиди здесь и держись за ручки — сильно трясёт, а мне ещё с маленькими надо разобраться. Ну?! Очнулся?

— Да. — Гул проникает в тело.

— Что?

— Да! — Гул разрастается внутри до непомерных размеров, на миг захватывает сознание и откатывается.

— Всё, сиди здесь и приходи в себя быстрее — ты мне будешь нужен. Пока не скажу, никуда не двигайся. Всё понял? — Я понимаю только, что Игорь кричит.

— Да. — Гул опять вырастает.

Я открываю глаза — тусклый красноватый свет. *Откатывается...* Я сижу в кресле, похожем на стоматологическое. Через грудь, крест-накрест, ремни — я пристёгнут. *Вырастает...* Руки машинально пробегают по телу — всё нормально, боли нигде нет. Вспоминаю про водку — на месте. *Откатывается...* Начинаю привыкать. Как далёкий лай собак в бурную ночь, слышу какие-то звуки. Приглядываюсь. В слабом свете различаю фигуры. Закрываю глаза. *Вырастает...* Нст — так хуже, — открываю обратно. В теле странная текучесть, и волнами прокатывается гул. Да, гул. Как ни на что не похожая вибрация...

— Ну, как ты? — Игорь уже стоит сбоку и, наклонившись, кричит мне на ухо.

— Где мы?

— Неважно. Ты в состоянии действовать разумно?

— Гул...

— Привыкай — это ненадолго, дня на три. Терпи!

Я чувствую, как расслабляются ремни на груди, тело слегка обмякает. Мысль о том, что мне снится сон, потихоньку начинает доминировать. Я снова закрываю глаза... *Вырастает...* Я чувствую, как какая-то сила вырывает меня из кресла. Я открываю глаза — передо мной лицо Игоря. Он держит меня за ворот куртки и кричит.

— Очнись! Не засыпай! Чёрт бы тебя подрал, ты мне нужен нормальный! Быстрее приходи в себя, я не управлюсь один. Должен быть ещё один взрослый. Должен был быть...

— Я всё... Всё... Нормально.

Пол под ногами ходит ходуном, тело изнутри разрывает накатывающийся гул, полная дезориентация, а в остальном — всё нормально. Всё нормально...

— Потом пошутишь. Иди за мной.

— Я что-то сказал?

— Сказал.

— Где мы?

— В подводной лодке.

— Правда?

— Нет.

— Мы под землёй? Что там наверху?

— Да, мы под землёй. Пока. А наверху ничего. Уже...

— Это что — землетрясение?

— Угу.

— Ты что, знал?

— Предполагал. Теперь заткнись и слушай! Стой вот здесь. Видишь приборную панель?

— Вижу.

— Вот эти две шкалы датчиков давления. Следи за ними постоянно — тронется стрелка, любая, — сразу дашь знать. А пока следи вот за этой. Это скорость ветра на поверхности. Шкала в метрах в секунду с коэффициентом сто. Сколько сейчас, видишь?

— Вижу. Два и пять.

— Вот и молодец.

— Это что... скорость ветра сейчас два и пять на сто... Двести пятьдесят метров в секунду... там?

— Да.

— Что это значит?..

— Это значит, что там уже ничего нет, я уже говорил. Всё? Или ещё вопросы?

— Всё...

— Я буду следить за степенью заносов на поверхности — у меня там датчики везде, это с другой стороны, а ты оставайся здесь и следи внимательно, особенно за давлением. Нам придётся вырываться отсюда... Это будет трудно, я хотел бы рассчитывать на тебя. Если переживём первые сутки, дальше будет легче... Ну, *скорее всего*, будет легче... Так что все вопросы потом. Остальное буду рассказывать по дороге. Всё. Следи за давлением, я за заносами, — если что, нужно будет взрывать.

— Взрывать?

— Да, там везде взрывчатка. Направленные взрывы. Все шашки номерные — слева от тебя схема расположения зарядов там, наверху. И пускатели без предохранителей, так что поосторожней руками размахивай. В этой взрывчатке наша жизнь. Что-нибудь пойдёт не так — и это место станет для нас склепом. И ещё раз: следи за давлением! Если прозеваем нужный момент, здесь нас и найдут тысяч через сто лет, понял? Сейчас прибавлю свет, пока мы питаемся от внешних аккумуляторов, так что можем себе позволить. И не смотри на меня так, я же сказал — все объяснения потом, сейчас, чтобы выжить, требуются простые действия.

— Только один вопрос?

— Живее.

— Что происходит?

— Всё сразу.

— А те, что наверху?..

— Не знаю.

— Они погибли?

— Да, за редким исключением, вроде нас с тобой. А ты, если не хочешь, чтобы мы присоединились к большинству, забудь думать обо всём, кроме шкалы давления у тебя перед носом. И помни — с нами ещё двое детей. Подумай, каково им, а я тут взрослому мужику мозги вправляю уже сколько времени...

— А те, что в городе?..

— В го-ороде... Да во всех... Ладно, всё. Я сказал, что делать.

— Ты сказал двое?..

— Да, двое... И больше ни слова! — Он исчезает у меня за спиной...

Пустое кресло

В плену у тьмы
Стенает зверь,
Мерцает око.
Как беспробудно одиноко
В глуши потерь...

«— Аллё, привет.

— Папа, ты скоро приедешь?

— Скоро, малыш, где-то через часок. — «Через часок, он говорит».

— Как ты спала, хорошо?

— Хорошо.

— Я приеду, и пойдём гулять в парк. Ещё привезу тебе маленький подарок, то, что ты хотела.

— Пода-арок?!

— Да.

— Пап, а у нас такой хороший договор, я днём спать не буду...

— Ну, а ты что должна делать по такому хорошему договору за то, что днём не будешь спать?

— Ну, ничего. Просто такой договор. Хороший, правда? Я же уже большая...

— Правда. Я уже скоро подъеду, дай мне маму, пожалуйста, ладно?

— Ладно.

— Пока.

— Пока...»

«— Пап, так хорошо с тобой оставаться.

— ...

— Я хочу музыку, давай танцевать.

— Давай.

— А потом ты мне дашь поиграть в тетрис?

— Конечно.

— Ну, давай танцевать. Надо погромче сделать.

— Можно я посижу, посмотрю на тебя, принцесса?

— Пап, ну, давай танцевать!

— Я не хочу, малыш. Ты танцуй, а я посмотрю. У тебя здорово получается. А потом мы поиграем с тобой, во что ты захочешь, ладно?

— Ладно...»

«— Можно я схожу в гости к Наташе?

— Конечно. Только ненадолго, ладно?

— Ладно.

— А то мне уже скоро уезжать.

— Пап, почему тебе нужно уезжать?

— У меня дела, малыш.

— Пап, не уезжай.

— Беги к Наташе, я тебя подожду...»

«— Пап, давай больше не пойдём на море!

— Ты так говоришь, потому что не хочешь больше ходить по этой длинной лестнице?

— Да.

— Просто ты устала сейчас. А завтра опять захочешь на море, и мы опять пойдём.

— Не захочу.

— Вот увидишь.

— Пап, я хочу ездить на машине.

— Ты сама хочешь водить машину?

— Да!

— Тебе надо немножко подрасти и чтобы у тебя были крепкие ручки и ножки. А чтобы они были крепкими, надо много плавать и ходить по лестницам. Поэтому, когда мы ходим по лестнице, мы тренируемся. Это просто такая тренировка, понятно?

— Да.

— Ты готова тренировать ноги?

— Готова.

— Ну, тогда вперёд...

— Пап, ты готов тренировать ноги?

— Готов. А ты готова?

— Да.

— Вот и молодец. Смотри, какое сегодня прозрачное море, даже с такой высоты видно.

— А медуз нет?

— Нет...

— Разве ты видишь?

— Я знаю...»

«— Что тебе привезти с Севера?

— Ягодки.

— Какие?

— Брусничку.

— Это потому что я привозил её в тот раз?

— Да.

— Понятно. А ещё я привезу тебе маленький кусочек северного сияния, хочешь? Я посмотрю на него там и быстро закрою глаза, тогда немного останется внутри, а когда приеду, ты посмотришь мне в глаза и увидишь его.

— Пап, я тоже хочу на Север.

— Пока не получится, малыш.

— Почему?

— Маленькие девочки не справятся там, в тайге. Ты подрастёшь немного, и я обязательно возьму тебя с собой, хорошо?

— Хорошо.

— Я обещаю...»

Она веселится бесшабашно, легко. Иногда вдруг начинает вредничать ни с того ни с сего, или попрошайничать — всё, что придёт в голову, настойчиво, с обида-

ми, со смесью смирения, непокорности и хитрости, как весенняя капель, беззаботно и всё же по-настоящему. Брат уже взрослый, всем видом показывает, что у него свои интересы, но хватает его ненадолго. Стоит немного зацепить его — и нескольких лет разницы между ними как не бывало, — носятся, гогочут, ругаются...

Он сидит на сухом бревне, а они бегают вокруг, веселятся, пытаются втянуть его в свою незатейливую игру. Он отнекивается, подыгрывает и, не обижая, отказывается. Просто сидеть и смотреть на них — это счастье. Так уж всё устроено. В любой миг он отдаст за них свою жизнь. Он чувствует это счастье, купается в нём, но не может принять внутрь себя. Так уж он устроен.

Тонкая, как нить шелкопряда, печаль изливается и струится по асфальту площадки. Он знает — они чувствуют это. Это делает их родными, близкими, но не одним целым. Никогда, ни с кем, целым.

Он один
И пушистый снег
Сугробами между строк
Над равниной холодный день
И далёкого солнца цветок

Ему хочется плакать. Но знание собственного естества отметает прочь всё то, что всё равно не в силах изменить его. Он вновь ощущает счастье. Счастье, которое не принадлежит никому. Это счастье Мира.

Она пробегает мимо, заливаясь смехом. Пять часов пополудни, солнце касается кромки деревьев. Холодно, осень. С товарно-сортировочной станции доносится усиленный громкоговорителем голос диспетчера. Скелеты дубов на фоне неба ждут своих художников. Полусонный жук ползёт по бревну...

Он пытается раствориться, проникнуть в счастье, но исчезает сам. Остаётся пустое бревно, жук, счастливый смех, топот маленьких ножек по асфальту и тишина. Тишина пустоты. В мире больше ничего нет, только детский смех в пустоте...

«Это всё, что мы сделали здесь друг для друга...»[8]

Одно кресло осталось пустым. И море слёз выплеснулось на берег и впиталось в песок. В пустой песок на пустом берегу.

За горизонтом событий

> Горизонт событий — понятие в астрофизике, подразумевающее под собой момент перехода коллапсирующей звезды в состояние чёрной дыры, при котором гипотетический наблюдатель, находящийся на звезде, оказывается полностью изолированным от событий в нашей вселенной, в абсолютной бездне.

Через несколько секунд свет становится ярче. Мне кажется, что вместе со светом приходит облегчение от разрывающего тело гула. Почему мне при-

---

8 «Сплин». Песня «Время, назад!», альбом «Новые люди». 2003 г.

шло в голову именно это сравнение? Ведь звук был отдельно. Он был постоянным фоном, почти всегда оглушающе громким. Но то, что я назвал гулом, — совсем другое. Как будто какая-то энергия, прокатываясь волнами и затрагивая каждую клеточку тела, несёт смятение и хаос. И лишь кратковременность этих волн позволяет выжить, не рассыпаться, оставаться в сознании.

Дня три. Он сказал «дня три». Это много или мало? Сегодня вроде бы вторник... Через три дня — пятница. Хороший день. Люблю пятницы... Что я должен выдержать? Удары, повторяющиеся каждую минуту и похожие на смерть? К чёрту! Что с давлением?.. Стрелка на месте. А если прибор неисправен? Он сказал, что если пропустим — не выберемся. Откуда и куда не выберемся?.. Может, спросить? Для этого надо пойти за ним. Нет. Если прибор работает, а я отойду... Что там со скоростью ветра?.. Два и пять на сто в секунду... Это крейсерская скорость боинга... Что-то там в фильме было... С них срывало кожу таким ветром... Ни один дом не устоит... Под землёй, конечно, можно. Мы же под землёй?.. А завалы?.. Какие завалы?.. Ладно, завалы. Понятно. У него взрывчатка, а у других?.. Почему так внезапно?.. Откуда он знал?.. Нет, нет же, он не знал. Он готовился! Все эти разговоры... Он не мог знать, когда... Поэтому один... Разумно... Не стал никого уговаривать... Правильно... Он спасал своих... Нет, нет... не спасал... готовился, го-то-вил-ся! Да, да, помню... он говорил... всех хотел привезти в дом... воздух, природа, покой... Чтобы они все были здесь в тот момент, когда... уже в этот момент... трое, двое... кого-то нет... они все вокруг в креслах... шлемы или маски — не вижу... кажется, нет младшей... он любил её больше всех... всё время говорил о ней... все — это только дети?.. Кресла... Всего пять... Ещё кто-то... Он не смог... не успел... дурацкие проблемы общения... не то настроение, не тот тон... подождём — всё уладится само собой... Нервы... Скоро, потом... а сейчас, СЕЙЧАС... потом нет... потом ветром срывает кожу... Что происходит?.. Ветер... Два и девять на сто... Боинг начинает разваливаться... А мы?.. У него план... И он готовился... Готовился... К чему?!

— Если сдвиги пластов пойдут раньше, чем придёт вода, — мы попались.

— Что ты говоришь? — Я не заметил, как Игорь опять оказался у меня за спиной.

— Я говорю, следи за давлением... и молись.

— Гул...

— Что?

— Это не звук...

— Да, не звук. Это магнитное поле, аура планеты, если хочешь, энергетическая реконструкция в сжатые сроки.

— Ты сказал, три дня?

— Да, приблизительно. Три дня тьмы... — Он наклонился ниже: — Если выживем, через три-четыре дня это прекратится. Но появится что-то новое. Я не знаю, как отразится на нас новая структура. Сейчас как минимум надо остаться в живых. И, к сожалению, это зависит не только от нас, но и от многих случайных факторов. Я лишь предполагал сценарий...

— Ты сказал аура... планеты?.. Ты хочешь сказать...

Удар. Не взрыв, не сильное сотрясение, нет. Земля — мячик для гольфа, и только что профессионал отправил его за триста ярдов к лунке. Сильнейший удар. Я слышу крики детей и что-то очень похожее на хруст, как будто кто-то комкает огромные листы железа за спиной. Игорь кидается к креслам — в мерцании ламп он остаётся у каждого на несколько мгновений. Я вижу, как он просто держит детей за руки, по очереди. *Я здесь. Мы вместе. Всё хорошо.* Они в каких-то странных шлемах...

— Самописец! С другой стороны! Оторви ленту с сигналом! — Игорь уже кричит мне в ухо.

Я с трудом понимаю, что он от меня хочет. Он тычет пальцем, указывая на другую сторону консоли с приборами, за которыми я наблюдаю. Заглядываю за стойку — четырёхканальный самописец, лента с сильными всплесками сигналов уже сантиметров на пятнадцать вышла из-под прижима. Сейсмосигнал. Отрываю.

— Давай сюда, быстрее! — Игорь кричит мне с противоположной стороны помещения. Там видно ещё одну, похожую на эту, консоль и слабо светящийся экран компьютера. Он вырывает ленту у меня из рук.

— К приборам! Не отходи от приборов! — Кидаюсь обратно. Стрелка на шкале давления не сдвинулась. Скорость ветра 310 м/с. Это немыслимо, мозг отказывается воспринимать информацию... Ещё один удар, но, кажется, более слабый...

— Не паникуй и не дёргайся! — Игорь уже держит меня за руку и кричит в ухо, слегка наклонившись.

— Я не дёргаюсь. Не знаю, какое место должно дёргаться по поводу того, что сейчас происходит. Такое у меня впервые.

— У меня тоже, остряк. Это был разлом. Далеко. Очень далеко, слава Богу! Район приблизительно... да неважно.

— Какой разлом?

— Не слышу. Громче!

— Какой разлом?!

— Платформы. Тектонической платформы. Пошли сдвиги... Но очень далеко... Наши шансы поднялись только что процентов на десять... Или упали на двадцать. Выплыть мы, надеюсь, выплывем, а извержений нам не пережить. Так что будем считать, что везение не изменит и сценарий написан там, наверху, с учётом наших шансов.

— Выплывем?..

— Да, дорогой мой, всё это только начало — построение перед выходом на полосу препятствий. Потом будет вода. Одна сплошная вода. Ты что, книжек не читал? Потоп. Слышал, может?

— Всемирный?..

— Всемирный, всемирный...

— Так это мы, что...

— Да, да, это мы *то*. Ты стал живым свидетелем Апокалипсиса... Пока ещё живым свидетелем.

— А то, где мы сейчас...

— А это, дорогой друг, сферическая капсула, временное наше убежище, но если тебе так привычнее, называй её Ковчегом.

— Давление!

— Что?!

— Давление! — Стрелка на шкале вздрогнула и поползла к первому делению...

Лирическое отступление, или Сон разума

храню как Бог
лишь в сердце чистом
свои слова один сонет
и с недосказанностью смысла
стою один
созвездий свет
гоняет ветра коромыслом
шары хрустальные планет
плевков материи овитых
сознаньем наших душ
плющом теней и лет забытых

Подводный грот на дне небольшой бухты — один среди многих, образовавшихся после землятрясения в восемьдесят втором. Очень узкий проход в разломе скалы. Слишком узкий. Но это не важно. Воздуха мало. Хватит. Я протискиваюсь вперёд, обдирая спину о сколы камня и островки острых, как лезвия, мидий. Через пару метров поворот. За ним тупик. Зря. От моих движений со дна взвивается муть. Назад. Человеческое тело не создано для водной стихии, и уж тем более — для подводной. Воздуха в лёгких почти совсем нет. Гребёнка ломаного камня и мидии в противоход впиваются в кожу. Я неудачно пытаюсь вынуть трубку из-под резинки маски — и та наполовину заполняется водой. Я не могу продвинуться назад больше ни на сантиметр. Первый толчок паники. Это плохо, очень плохо. Делаю ещё один рывок. Острая боль в районе лопаток. Второй толчок паники... Тук... Включается свет. Я вижу берег бухты. Там мой отец с друзьями играет в карты. Тук... Уже часа полтора как меня нет. Он ходит по берегу, вглядываясь в море. Я физически ощущаю дрожь, которая начинает подмывать опоры прямо у него под сердцем. Мне жалко его. Тук... Я на детском велосипеде в парке с друзьями. Наши родители фотографирут нас. Тук... Я в лесу. Где это? Тук... Теннисные шарики. Я делаю из них дымовые шашки и жгу во дворе. Тук... На кухне крики. Звон разбитого стекла. Тук... Пещера с колодцем в скале на острове. «Таинственный остров». Жюль Верн. Тук... Я болен. Отравление. Красные круги. Я исчезаю. Тук... Исчезаю. Тук... Солнце. Тук. ...Тук.

Лёгкие сдавило. Маска почти до конца наполнена водой. Делаю рывок вперёд. Паники нет. Кажется, какое-то изменение. Свет? Над головой. Другая расщелина. Я не видел её. Сквозь поднявшуюся муть и толщу воды в несколько метров прорывается солнечный свет. Паники нет. Нет мыслей и чувств. Просто моё тело очень хочет жить...

Чайная чашка, бежевая, с сюжетом из быта средневековой таверны на боках и еле заметной паутиной трещинок лопнушей от времени эмали. Она осталась стоять рядом с раковиной. Я не успел её помыть. Чёрт возьми, я не помыл её...

Закат. Бархан на окраине Казылкумов. Я сижу на его вершине, скрестив ноги, и вдыхаю запахи пустыни. Знойное марево, ни движения — насколько видят глаза. Черепаховые панцири, начисто выклеванные птицами, редкий, почти без зелени, кустарник, уютный песок. Чистота. Всепоглощающая чистота во всём. Из-за соседнего бархана показывается маленький смерчик, метра полтора высотой от силы. Он медленно движется в топком, как болото, воздухе, поигрывая обрывком чего-то белого. Затаиваюсь и неотрывно слежу за ним.

Я сижу лицом к наветренной части бархана и вижу все проделки игрушечного вихря. Он как ребёнок, занятый своим простым делом... я умиляюсь и сам чувствую себя ребёнком. «Эй!» — Голос звучит неестественно здесь, как будто смычок соскальзывает со струны под тяжестью обезволенной руки. Маленький вихрь останавливается у подножия бархана, листок бумаги плавно опускается на песок чуть в стороне. «Как дела?» Ребёнок трогается с места и начинает движение вокруг меня. Бархан совсем небольшой — и он успевает сделать три или четыре полных круга, пока мы разговариваем... Потом я остаюсь один. Мне больше нечего делать здесь. Я встаю и бегу в сторону посёлка с красивым названием Айгене. Чистота отступает, прощается и остаётся у меня за спиной...

Телефон где-то там, наверху, в кучах слипшейся грязи и обломков. Он уже не звонит. Да, он уже точно не звонит — вышки связи, как тонкие стебли травы после ливня, припали к земле...

Страх. Я лежу на площадке размером метр на полтора на вершине острозубой скалы, возвышающейся над посёлком метров на шестьдесят, и прижимаюсь щекой к камню. Порывы ветра и удивлённые взгляды чаек... Уже третья неудачная попытка начать спуск — до ближайшей полки на отвесной скале под ногами расстояние больше, чем если я вытяну руки и зацеплюсь последними фалангами пальцев за край площадки на вершине. Внизу у подножья осыпь битого камня...

Там, наверху, то, что я мог бы любить по-настоящему, гибло сейчас в панике и ужасе бессилия. Господи, я кожей чувствую, как память обо мне, надежда и отчаяние полыхают в разрывающихся на части сердцах. Господи, зачем ты позволил нам жить?..

Ни одна смерть не волновала меня. Родственники, знакомые, даже друзья — много смертей. Похороны, слёзы, соболезнования — можно понять, помочь обойти, перешагнуть. Всегда. Кроме той единственной смерти. Кто бы мог подумать, что я способен на такое? Безграничная, размером со Вселенную, ослепляющая, уродливая ярость... Я проклинал мир и бога, выгорал изнутри, меня тошнило собственной душой, я чуть не сошёл с ума, но так и не смог пережить её...

Кто бы мог подумать, что первый раз с женщиной — это не то же самое, что возиться полночи под одеялом, изводясь фантазиями до судорог в мышцах. В голове образуется дыра размером с хорошее яблоко, и через неё в пространство уносится всё, что было тобой. Такое случается лишь однажды. Многие вещи случаются лишь однажды...

Всё случается лишь однажды.

Вспомни, я прошу тебя, вспомни что-нибудь ещё!
Нет, это всё.
За столько лет — и это всё?!
Всё. И этого достаточно. Время здесь ни при чём...

В детстве нас всех знакомят со временем. Сначала грозными родительскими окриками, вынимающими нас с улицы. Потом школьным расписанием, потом минутами свиданий и вечностью разлук, рутиной повседневных обязанностей и гонкой за удачей. Но когда мы сходимся с ним настолько, что нас уже можно назвать «не разлей вода», время начинает уходить от нас. Мы становимся не нужны ему, как пустые картриджи. Но и оно не вечно. Такие дела...

Сегодня, в первый вторник октября месяца, в четверть седьмого вечера, Времена закончились. И с этого момента *всё* перестало иметь какое-либо значение.

Капсула
(продолжение)

Стрелка на шкале давления, немного сместившись, замирает.

— Это локальное явление. Пока... — Игорь неотрывно следит за шкалой, стоя рядом со мной. — Датчики в засыпанных шахтах. Выйти из строя они не могут. Просто сами шахты залило водой. Продолжай следить за давлением, а я к детям. У нас очень мало времени — сделаю им уколы.

— Зачем?

— Затем! Чтобы не сошли с ума. Снотворное.

— Не сошли с ума?

— Да, от страха.

— А как же... — «А как же не сойти с ума нам?» — хотел спросить я, но Игоря уже не было рядом.

Мне нечего бояться. Я уже сошёл с ума, наверное, раз принимаю всё происходящее всерьёз. Завтра в городе я навещу старого друга. Мы выпьем пива, поиграем в бильярд. Повспоминаем, помечтаем... Да мало ли... Всегда есть о чём поговорить. А потом я буду носиться на машине по ночным улицам и строить планы... До суши во рту и рези в глазах. А потом доберусь до дома и провалюсь в чёрный, без картинок сон. И последним моим чувством будет ожидание. Я жду. Вся жизнь на вокзале, от которого отходят и на который приходят поезда, несущие с собой тайны, радости и печали вселенной. Я почти счастлив...

— Всё нормально. Они будут спать теперь как минимум часов двадцать, — голос Игоря возвращает меня в безумную реальность. — Теперь слушай меня внимательно. Там, наверху, с юга идёт огромная волна, такая огромная, какую ты даже в мультиках не видел. Первая самая опасная. Её мы пропустим. Пропустим и вторую, может, и третью. Но оставаться здесь до бесконечности мы не сможем. Над нами встанет океан, а это, — Игорь махнул рукой в сторону, — не батискаф. Постоянного сильного давления нам не выдержать. Момент, когда нам нужно будет вырываться отсюда, знает только бог, а он сейчас, как некстати, очень занят. Шансов погибнуть у нас много, но этот момент — самый критический. Капсула может развалиться, на нас с неба может упасть Бруклинский мост, или просто мы испытаем такие ускорения, что не выдержать... Да всё что угодно!..

— Всё, всё. Я понял. Но мы же под землёй!

— Да, но не очень глубоко, метров восемь всего. Это гарантия, что нас не вымоет отсюда сразу.

— Если я умру — прошу считать меня вымытым.

— Идиот.

— А если наоборот?

— Что наоборот?

— Не вымоет, а завалит, занесёт.

— Соображаешь. Всё, конечно, может быть, но маловероятно. Хотя отчасти это предусмотрено. Грунт над нами заминирован, и у капсулы есть толчковый механизм, он во взведённом состоянии, плюс эффект воздушного пузыря. И, в качестве последнего аккорда, под нами тоже заряд взрывчатки. Через буферную плиту, разумеется. Очень рискованно, но это на крайний случай, — он запнулся на мгновение. — Застревать здесь нам нельзя — это верная смерть. Наверх нам тоже как бы нельзя так быстро. Но там смерть всё же вероятная. Что скажешь?

— Ты хочешь, чтобы я тебя поддержал или посоветовал? Пять минут назад мне сказали, что я матрос, и тут же забросили в центр тайфуна, забыв объяснить даже, что такое море. Ты капитан, не спрашивай меня, что делать, — если не знаешь ты, знает только бог. Будем молиться или что-нибудь ещё?

— Да, будем молиться. И пытаться угадать или почувствовать. Пусть бог или Земля-матушка подсказывают нам путь к спасению. Мир родится вновь. С нами или без нас — это не важно...

Потоп

> «Книга открыта на самой
> последней странице.
> Сколько всё это продлится?
> Целый день дождь...»[9]

Сколько мы уже находимся здесь? Час или день? Постоянный рёв земли, далёкие удары и скрежет, слившиеся в общий фон. И лишь разрывающая, а точнее — растягивающая тело и сознание вибрация, которую я назвал гулом, а Игорь — перенастройкой матрицы Земли, — заставляет время от времени делать специальную дыхательную гимнастику, которую он мне показал. Дети спят, как мёртвые. Если бы это были мои дети, я, наверное, уже всё испортил бы. Всё, что мог...

Мы ждём. Игорь объясняет механику действий на случай разных ситуаций и следит за сейсмографом и заносами на поверхности. Уже взорвали два заряда для расчистки. Здесь, внизу, этого даже не почувствовалось. Изредка пьём по чуть-чуть воду из

---

9 «Сплин». Песня «Время, назад!», альбом «Новые люди». 2003 г.

походной фляги, чтобы хоть немного смочить уже давно сорванные глотки — разговаривать обычным образом среди этого кошмара просто невозможно. Мы ждём. Ждём неизвестно чего. Гул что-то делает с нами, и с каждым часом в этой гибкой субстанции растворяются мысли, память, страх перед возможной и даже, скорее, перед неизбежной гибелью. *Вновь обретающая себя Земля как-то действует на нас.* Мы чувствуем это внутри, не сопротивляясь и не анализируя. Мы хотим увидеть Солнце. Но приходит волна.

Сначала как тихий шелест, вкрадывающийся в громоподобный рокот геологических коллизий. Потом как ядовитое шипение миллионов змей в яме для казни. А потом на маленького мышонка в его норке наступил слон.

Как вагонетка американских горок проваливается на крутом спуске и душа подлетает к макушке, так и мы в своём убежище ощутили, как со вздохом километровых мехов провалилась земля и масса Мирового океана на мгновение повисла над нашими головами. «Остановите Землю, я сойду!» Накаркали... Вжавшиеся в металлический пол капсулы, мы — замершие, раздавленные, беспомощные зверьки. Лишь сузившиеся от ужаса глаза приклеились к шкале давления, где стрелка, описав полный круг, медленно откатывается назад. Слон уходит. Мы не видим его, но знаем, чувствуем макушками, кончиками пальцев, всем осатаневшим от ужаса существом. Дети спят.

— Уже сорок. Тридцать пять... Тридцать метров... Ну, давай же. Давай ещё! Двадцать пять... — стрелка качнулась. — Тридцать. Нет! Тридцать пять. Сорок... Да что там происходит?! — Игорь, схватившись руками за консоль, впился взглядом в шкалу.

В этот момент почему-то вспомнился один день, даже скорее миг, запечатлевшийся негативом на сетчатке моих глаз; ощущение, застрявшее в какой-то из клеточек тела:

«Солнце — как ярко-оранжевые брызги апельсина. И грозовая тьма, заполнившая полнеба. Шипение близких молний и рокот потоков воды, заливающих всё вокруг. И страх. Страх мелкой твари, застигнутой врасплох посреди поля плотоядным тиранозавром. Стихии не знают гнева, их ярость не направлена никуда. Молнии убивают людей, и оранжевое солнце свидетельствует

пусть будет пожар
мятущийся огненный вихрь
который спасёт нас от тьмы
но ведаем ли мы
что останется на пепелище
после этой войны
Чёрные шары, Чёрные шары».

Стихии не знают гнева.

О чём думает шестилетний мальчишка, едущий на самокате, когда приходит Конец Времён? Он ду-

мает о том, что если бы асфальт был более гладким, его самокат летел бы вперёд быстрее.

Когда Конец Времён пронизывает нимб Земли, о чём думает птица, клюющая свой корм? Она клюёт свой корм.

Как гибнет животное? Оно гибнет без страха, в чистоте отчаяния.

Как гибнет человек? Он гибнет в грязи паники, скрежеща зубами от бессилия и страдая.

Что бы ни происходило сейчас там, наверху, но я больше не хотел быть ни животным, ни человеком. Вселенная не умеет плакать.

— Пора! — Игорь замешкался на мгновение. Там, за его спиной, в сгустках теней от кресел и мерцании красных лампочек, было дорогое. «Как же славно жить вне времени!» — наверное, думал он в этот момент. Я почти уверен, что он думал именно так. — Пора.

Капсула представляла собой абсолютную сферу с небольшим балластом в нижней части. И, по расчётам, мы должны были пузырём выскочить на поверхность новоиспечённого Мирового океана и оставаться там, сколько потребуется, будучи минимально уязвимыми для стихий. Сейчас мы понимали только одно — выскочив из убежища слишком рано, мы станем заложниками центрифуги и случайных факторов.

— Давай в кресло. Здесь я и один управлюсь.

— Но...

— Рядом с управлением только одно место. Избавь меня от нужды соскребать тебя со стен, когда мы выберемся отсюда, ясно?

— Да.

— Так что быстро в кресло. Я проверю, как дети, и... ну, в общем, по плану.

А по плану шашки направленных взрывов пласт за пластом, метр за метром освобождают нам проход из подземелья. В красных полутенях я вижу руки Игоря, взлетающие над консолью. Всё это было бы поэзией, если бы не чудовищное потрясение, которое вызвали сработавший толчковый механизм, и вслед за ним взрыв контрольной шашки под капсулой. *Я барон Мюнхгаузен, взлетающий на ядре.* Тут всё дело в ядре — куда ты летишь, уже не важно. Всё происходит очень быстро: сочащаяся сквозь обшивку и собирающаяся в лужи под ногами вода и судорожные вздохи Земли не оставляют выбора. Мы вырываемся. Или нам кажется, что мы вырываемся. Ощущение движения вверх, ускорения, толчков... Игорь бросает на меня редкие взгляды — в его глазах бешеный блеск, а за ним — пустота. Пустота во всём.

Мы как опорожнённые сосуды, пустые камеры хранения, мы пригодимся, только когда про нас вспомнят.

Возникает пауза, как будто там, куда мы попали, нас никто не ждёт и не сразу понимает, что с нами делать. Лишь мгновения. Где мы оказались? Мы чувствуем только, что вырвались. Но вот нас замечают. Вихрь, несущийся со скоростью разваливающегося боинга, и всепоглощающий рок. Что-то неистовое пытается ворваться к нам снаружи. Вдавленное в кресло тело больше не может вынести всего этого. И вот уже мы, как щепки сознания и плоти, безумными кульбитами несёмся сквозь мировое пространство. Скорость, свет, тьма, время — всё утрачивает свойство быть определённым, и сознание меркнет, оставляя безвольную плоть расхлёбывать все грехи человеческие... *Не сойти с ума от страха.* Как хорошо он придумал с этим снотворным для детей — они никогда не узнают, что нет предела ужасу и страданиям. Если бы я был в состоянии хоть шевельнуться, я бы покончил с собой. Не знаю как, но я бы остановил всё это...

Пробуждение

...и на звенящем берегу
стою прижав к груди
крупиц последних немоту
и самоцвет любви

— Дядя Андрей, вставайте! — восьмилетний Матвей тормошит меня, хватая за уши, за нос, волосы. — Вставайте, мы приехали. Вокруг всё новое, вставайте, смотрите скорей!

Ночь перед глазами начинает рассеиваться клоками. Чьё-то лицо, звуки. Я пытаюсь восстановить полосу событий. Надо зацепиться за что-нибудь. *Ноль. Ничего. Какая-то агрессия. Мы что-то делали. Да, точно — мы спасались. От чего? Мы спасались от всего. Нам не было места. Не может быть! Как это — не было места? Какого места? Разве нужно искать место? Оно же всегда есть, по определению!* Пространство ещё немного раздвигается. Матвей всё ещё тормошит меня. Его глаза блестят. Нет, они просто лучезарны. Или мне кажется это?..

— Дядя Андрей, всё новое, слышите? Всё новое!

Дядя Андрей — это я, что ли? Дикость какая!

— Как ты? — что-то странное с голосом. Кажется, что вовсе нет никакого звука.

— Мы забыли про вас, простите. Все наверху. Там всё новое. Везде всё новое, пойдёмте. Пойдёмте скорей!

— Что новое?

— Всё, всё...

Глаза видят плохо, но это не помеха. Странно, но это совсем не напрягает.

Я теку... Боже, я теку вокруг себя, я вижу своё лицо, полуприкрытые глаза. Стоп! Хотя почему?.. Давай. Давай дальше.

Что-то призрачное вокруг. Странной формы предметы в полутенях. Знакомые очертания... Очень знакомые. Да, это Игорь. Вон он застыл в кресле у консоли. Такое впечатление, что его тело свело судорогой. Дальше в креслах дети в странных шлемах, все на своих местах... Но что-то происходит за пределами этой сцены...

— Матвей, ты звал меня? — Мы на круглой макушке капсулы.

— Привет.

— Игорь, я ничего не понимаю! Течение. Течение во всём...

— Мы встречаем Новый Мир.

— Мы что, умерли?

— Думаю, нет. Но обретать себя придётся вновь. Я не знаю как, но дети в восторге.

— А там, в креслах?..

— Нужно вернуться. Я не знал, как всё будет, но это... Там, внизу, часть нас. Мы не можем бросить... Отдайся — и теки с миром. Мы подождём тебя, нам следует вернуться. Учись управлять, нам всем необходимо учиться заново...

— Как мы общаемся сейчас?

— Мы такие, какими привыкли осознавать себя повседневно, и любые другие одновременно, если угодно. Мы здесь, и везде, и там, где ты захочешь. Но будь осторожен. Ты чувствуешь этот белый свет внутри себя?

— Да, и он кажется мне очень знакомым...

— Гул, помнишь? Непрерывный, растягивающий нас в тонкие нити гул.

— Да, кажется...

— Это был он. Это и сейчас он. Нам удавалось оставаться в живых столько, что реконструкция планетарной матрицы коснулась и нас, ведь мы неотъемлемая часть живой ткани и духа Земли. Потеряв сознание от безумных перегрузок и ужаса, мы потеряли его навсегда, я полагаю. Теперь наше сознание — этот свет. Мы все — одно, и всё вокруг нас — одно. Так было когда-то. И теперь снова так. Мы прямо в сердце жизни, ты чувствуешь?

— ...

— Детям проще — они не так привязаны к памяти, они не знают потерь — ещё не научились переживать их. Видишь? Они как цветы — распускаются навстречу белому свету. Но пора возвращаться. Дети, будьте очень осторожны и внимательны. Возможно, нас потрепало сильнее, чем может казаться. Я осматривал наши тела — никаких повреждений вроде бы. Но учитывая, что мы подвергались колоссальным перегрузкам, возможны не очень приятные ощущения, и даже... Впрочем, выбора нет.

— Что мы должны делать?

— Ничего. Просто захотеть обрести себя заново в своём теле. Остальное потом. Мне кажется, вы и так знаете ответы на все вопросы. И будьте готовы — может быть больно...

Я с трудом продираю глаза. Сумеречный красноватый свет от светильников, вмонтированных в стены капсулы. Боже, что с нами случилось? Ощущение такое, что меня со всего размаха швырнули об стену — и я так и остался на ней, вмятый силой удара. Тело отказывается повиноваться. Я пытаюсь шевелиться, но это только вызывает тупую боль. Вспоминаю, что притянут ремнями к креслу, но не знаю, как освободиться от них. Я слышу или скорее чувствую движение с другой стороны.

— Эй! — Собственный голос напоминает шипение газировки, вырывающейся из-под пробки. — Э-эй, кто-нибудь!

— Не скрипи, сейчас освобожу тебя, — Игорь говорит хрипло, срываясь на шёпот.

Ремни расстёгиваются, тело сразу обмякает, что причиняет неимоверную боль. Я вскрикиваю.

— Папа, папа, Матвей... его нет! — это Ксения. Игорь исчезает из поля зрения. Я с трудом поворачиваю голову и слегка приподнимаюсь на локтях.

Я вижу его склонённым над креслом сына и судорожно тормошащим его тело. Вдруг Игорь распрямляется и замирает на мгновение, и уже через несколько секунд раздаётся слабый стон со стороны кресла Матвея.

— Папа...

— Не увлекайся, малыш.

Я пытаюсь встать с кресла — и неуклюже падаю на металлический пол. Боль пронзает суставы и, не давая опомниться, давит и давит... Раз. И я опять смотрю на себя со стороны.

— А ну, давай назад! — Игорь. Лёгкий толчок в области живота — и я опять чувствую щекой холодную сталь пола. И боль...

Ксения плачет, свернувшись на коленях у отца. Это какой-то странный плач — я ещё никогда не слышал такого или не умел раньше чувствовать так, как сейчас. В нём нет боли и страдания. Лишь течение. Печаль и радость, одновременно закручивая воронку в разных направлениях, выливаются в мир... Я вновь непроизвольно выхожу и вижу, как Ксения — маленькое светящееся создание — движется через огромный поток струящегося света, они проникают друг в друга, сливаются — и вот уже единая река жизни течёт передо мной... Я возвращаюсь. Ксения больше не плачет, её глаза сияют тем странным светом, который я только что ощущал. «Идите. Идите туда». И мы идём. Уходим вместе или по одному — это уже не важно. Время растворяется. Река жизни и сознание белого света подхватывают и впитывают наши души в себя... Когда мы возвращаемся — боли нет. Мы смотрим друг на друга — и молча приветствуем. Мы не виделись, наверное, миллион лет.

Потом Игорь приносит воды и сухарей. Мы едим. Затем поднимаемся, снимаем большой люк с верхней части капсулы и смотрим. И мир смотрит на нас.

Если бы мы были внутри фантастического фильма, я бы сказал, что вода смотрела на нас. Воздух смотрел на нас. И в этом взгляде не было ничего враждебного. Просто всё вокруг было живым насквозь, от начала и до конца. И мы сами не были исключением.

К вечному материку

Старый сад плетьми вьюна
Опутан с нежностью безумной,
Сегодня ночь в саду, зима и полнолуние.
Острог желаний и тепла
С простором душ, в нем заключённых,
Воюет.
И поёт весна
Для посвящённых.

— Что дальше?

— Нам нужно добраться до суши.

— Ты думаешь, где-то должна быть земля?

— Не должна, а есть. Есть священные места на Земле, не подверженные *никаким* катаклизмам, туда мы и отправимся.

— Как?

— Ты очень дремучий человек, если, искупавшись в реке жизни, задаёшь до сих пор дурацкие вопросы. Мы просто будем там. Любой из нас знает.

— Пап, мы не знаем...

— Да бросьте! Вы знаете, я знаю, и даже этот леший дремучий знает. Вопрос только — как вы хотите туда отправиться?

— А как же...

— Давайте не будем бросать Ковчег. У нас же есть и вода, и поесть...

— Ты хочешь путешествия?

— Да, путешествия. Я хочу плыть.

— Хорошо. Тут предусмотрено, конечно, несуразное приспособление для движения, но, мне кажется, оно теперь без надобности, мы и сами сможем заставить эту посудину двигаться, как вы думаете?

— Я за путешествие.

— И я.

— А я боюсь.

— Чего?

— Не знаю, вдруг мы столкнёмся с чем-нибудь...

— Будем нести вахту.

— Можно я первым буду нести вахту?

— Хорошо, тебе быть первым. Но если всё же что-либо случится...

— Ничего не случится. Ничего *не может* случиться.

— Да, я понимаю.

— Ну что ж, мы уже были там, куда отправляемся, так что... Пусть это путешествие станет нашим прощанием и приветствием, пусть наши жизни, всё лучшее в наших сердцах, объединятся и звучат хвалой миру. Расправьте паруса, пусть ветер наполнит их, ибо мы вместе...

Начало
(продолжение)

Эпиграфом пустое слово
Я взял к сложённому стиху.
В нём нет значенья никакого,
Но в нём я вечность берегу.

Ноги подкосились, я упал на землю. Насколько хватало глаз, я видел замерших на скалах и холмах людей. Некоторые из них стояли, иные сидели, скрестив ноги. Я видел Игоря, припавшего к земле, как и я. Я видел Ксению и Матвея, которые, обнявшись и открыв рты, как воробьи, замерли, паря в метре над землёй, еле доставая до груди какого-то великана, облокотившегося на скалу. Под оранжевым небом, в испарине от воды и зноя, с вечного материка ленивыми потоками растекалась по Земле жизнь. Воскресшая в судорогах битв великая сила, созерцая себя, просачивалась через поры наших тел, выскальзывала через глаза. И чем больше её выходило из нас, тем крепче становилось тело, тем явственней звучал зов, трепетавший в сердце. И, как казалось, рождавший эту вибрацию. Я поднялся на ноги. И в тот же миг рывок памяти опрокинул меня в... *осенний вечер в парке. Рдеющий зев забытого кем-то костра. И ветер, которому я нравился. Как же я умолял его тогда взять меня с собой. Я носился, как сумасшедший, раскинув руки, но ветер плакал и метался, отвечая на мои чувства, но не мог взять меня — я не был готов...*

А там, в той прекрасной крымской долине ранней весной? Я хотел быть там с ней. И просто гулять, взявшись за руки. Почему нас не было там?..

— Где там? — она посмотрела на меня удивлённо.

— Ну, там... тогда...

— Тогда?!

— Я сам не понимаю...

— Всё-таки ты странный. Пойдём. Холодает уже.

— Куда?

— Как куда? Домой. Мария уже заждалась нас к ужину. Неудобно.

— Да, поесть бы не мешало.

— Далеко отошли. Просто пойдём или?..

— Или.

Мы больше не были людьми. И мы вновь были людьми.

Туман

> Не надо бояться отодвинуть ширму,
> страшнее найти на ней своё место.

Туман, скрывающий за своими облаками громады городских парков, густой всепроникающей изморозью обволакивает тело. Даже лучи света, редкие в столь поздний час, не осмеливаются покидать своих домов. А те, что всё же решаются на вылазку, чуть отбежав в сторону от источника, застывают в оцепенении пыльными облачками. Туман кругом. Особенно густым он кажется там, где клочок возделанного человеком леса неровными краями, с трудом перебравшись через выбитое неширокое шоссе, примкнул к небольшому пруду, неприкаянному и заросшему.

Острое ощущение грядущего события накатывает на миг — и оставляет в ожидании среди полупрозрачных пустот, где слабо моросит дождь и глаз подсознательно воспринимает скорее картину теней, нежели предметов. Призрачная картина.

Мысли устраивают в голове чехарду. Тихо, без особой толкотни и криков, они носятся стаей, тыкаясь в стенки черепа. Человек ждёт. Он сам не знает чего. Но внутри у него всё замирает, останавливается. Ему уже кажется, что нет границы между клубами тумана вокруг и его застывшим в бесстрастии сердцем. Чего же он ждёт? Может, чего-то необычного, страшного или просто внезапного, ошеломляющего? Одно известно наверняка: плохо, если ничего не произойдёт. Мир так непостоянен. Сейчас ощущение пришло, а в следующее мгновение оно уйдёт. Возможно, к кому-то другому, или спрячется обратно в туман... В конце концов, если ничего не произошло вчера, то почему должно произойти сегодня? Потому что вчера не было тумана? Ну и что. Ах, сегодня он есть. Ну и что! Но как же не хочется, чтобы вернулось это существование — обманка грустных и мокрых дорог. Сразу захочется сжаться, исчезнуть, раствориться. Или бежать. Бежать в туман и снова ждать. Глупо. Ведь это просто туман. Дождь и туман, туман и свет. «А всё-таки вчера его не было», — произносит человек вслух выловленную им из толпы самую неповоротливую мысль. «Его никогда не было», — отвечает ему кто-то. «Значит, это новорождённый туман», — догадывается человек. «Нет. Он просто так стар, что стал столь же непонятен, как ребёнок. Но он силён, берегись...» — «Значит, он должен многое знать и помнить...» Тихо. Тихо-тихо...

Тишина выползала откуда-то изнутри, задевая сознание шероховатыми краями. Густая, седая, немного с желтизной — тишина. Она отличалась от пустоты тем, что напоминала скорее присутствие чего-то невидимого, невыразимого, непонятного, чем понятное отсутствие всего. «Да, он многое знает! — вдруг сказал кто-то. — Он знает всё!»

И то ли тюль окружающего пространства заволновался, то ли фонари на улице — если они на самом деле были — внезапно начали раскачиваться в сложном ритме, только человек перестал различать, было ли всё вокруг отвлечённой игрой его воображения или движением действительно существующих теней, запахов и колебаний. Тончайшие изменения пронеслись лёгкой рябью, что-то неуловимое, до боли знакомое кольнуло в затылок, и... человек увидел картинку. Фигуры. Много фигур. Они были разными и двигались. Картинка жила. Жила своей жизнью. Жила в чудесных, на первый взгляд, превращениях, происходивших с её обитателями.

Чёрные и белые, просто никакие — прозрачные островки в густом тумане, жёлтые, мерцающие уютным светом настольной лампы, ослепительные, как вспышки сверхновых звёзд, переливчатые, маленькие и большие — фигур было много. «Это, наверное, сон или сказка», — подумал человек. «Нет!» — ответил кто-то. «Похоже на какую-то игру...» — «Нет!» — ответил кто-то.

Перед человеком двигались сонмы фигур. Когда друг с другом сталкивались Прозрачные Островки,

они могли становиться то Белыми, то Чёрными поочерёдно. А расходясь, вновь обретали свой прежний вид: изъяна, невольно допущенного кем-то. Если сходилась пара Белых или Чёрных, то они уже больше не расставались, превращаясь в единую большую массу неопределённой формы, излучающую что-то очень неприятное — то ли звук, то ли запах. Когда же Чёрные натыкались на Белых, одна из фигур могла стать Прозрачным Островком или вообще исчезнуть. И тогда туман мгновенно молоком заливал освободившееся пространство. «Кажется, это называется аннигиляцией», — подумал человек. «Нет!» — ответил кто-то. С Настольными Лампами ничего особенного не происходило — просто они мерцали ярче или тусклее, в зависимости от того, с кем сталкивались. Хотя тоже могли, правда, очень редко, обращаться Прозрачными Островками. Много ещё разных превращений, как в калейдоскопе, происходило перед глазами человека. Вот только, заметил он, никто и никогда не превращался в Яркие Звёзды. Когда исчезали эти из виду, ему становилось почему-то нестерпимо печально. Ярких Звёзд было мало. И пока текло время, их становилось всё меньше и меньше. И вот осталась только одна. Она блуждала среди прочих фигур, сторонясь и пугаясь столкновений с ними. Человек долго наблюдал за ней, то теряя из виду, то вновь находя в дальних уголках этой феерической пантомимы. Наверное, Ярких Звёзд всё-таки было много, но человеку казалось, что осталась только одна. «Может быть, я потерял сознание и мне всё это чудится?» — подумал он. «Нет!» — ответил кто-то. «Неужели я умер?!» — «Не-ет!» — зло отчеканил ему кто-то прямо в ухо.

Вдруг по этой пёстрой сказке прокатилась волна, определив на миг естественное обличье вещам. Человек заволновался. Вместе с комком в горле в сознании ширилась новая мысль, грозя и ухмыляясь. «Я вспомнил, где всё это видел!» — закричал он, поражаясь, как сразу не распознал эту коварную ухмылку. «Да-а...» — хмыкнул кто-то рядом.

Ощущение грядущей беды больно кольнуло где-то внутри. Потом человек почувствовал, как что-то наваливается ему на спину. Он выгнулся от ужаса, как дикая кошка, и побежал. Побежал, не думая ни о чём, к той единственной Яркой Звезде, с отвращением шарахаясь от окружающих его со всех сторон фигур. Столкновение с ними могло бы быть гибельным, теперь он знал это. Он бежал, заглядывая в глаза цветных идолов, в надежде увидеть в них своё отражение. Но тщетно. Там ничего не было. И вообще ничего больше не было, кроме этих фигур и Яркой Звезды далеко впереди. «Зеркало, мне нужно зеркало!» — кричал человек, задыхаясь от бега. «Да-а-а!!!» — орал кто-то рядом. «Я должен знать, должен! К ней, она поможет!» — «Не-ет!» — вопил и стонал кто-то, пытаясь вразумить безумного.

Вдруг Яркая Звезда оказалась прямо перед человеком — и сразу всё пропало. Всё. Даже тишина. Он не успел ни испугаться, ни удивиться, только понял, что стоит на улице. Тумана не было. Не было и жёлтого призрачного света. Всё вокруг было серо и мокро от утреннего дождя. По улице во все стороны, аккуратно обходя лужи, шли люди. Неловко спотыкаясь и толкая друг друга, они торопились по своим делам. А прямо перед человеком, высоко задрав голову с крупными слезящимися глазами, в которых отражалось небо, сидела собака. Он посмотрел на грязную мокрую фигурку и улыбнулся. Потом поднял её на руки и пошёл. Никто не обратил на это никакого внимания.

«Звезда», — подумал человек.

«Дурак!» — рявкнул кто-то из проезжающего мимо троллейбуса.

Но человек уже не слышал его.

Серая невзрачная фигура с собачьей головой на плече, аккуратно обходя лужи и толкаясь, присоединилась к монолитному потоку, двигавшемуся в русле Прямой Улицы Большого Города. На миг солнце, прорвав тюлевую пелену облаков, окрасило всё в бледно-жёлтый цвет. Но в следующий миг всё перестало быть даже жёлтым.

Собака

Вчера он здорово прокололся.

Собрался с духом. Решил — всё! Приехал к ней и остался. А в три часа ночи поднялся, пока она спала, сел в машину и вернулся домой. Машину бросил за несколько кварталов в каком-то дворе. Сказал, сломалась. Мол, пока эвакуатор дождался, туда-сюда... Жена сделала вид, что поверила. Но утром не проронила ни слова. Он отвёз дочь в школу на такси и отправился в офис. Корпоратив в этом году было решено не проводить. Так что просто короткий день. По паре бокалов шампанского с ребятами. Покурили. И разошлись.

От неё ни звонка. От жены, понятное дело, тоже.

Он не торопясь пошёл к метро окольной дорогой. Надо бы позвонить. Но на улице шум, грязь, как в привокзальном сортире. Морозит. Неуютно. Надо приземлиться где-нибудь. Чтобы всё чин чинарём. А что сказать?.. Сначала обосноваться в тепле. Кофе чашку. Да и поесть не мешало бы. Шампанское и мороз разбередили аппетит.

В первой попавшейся кофейне были свободные столики у окна. Он занял один. Достал из кармана телефон и положил перед собой. Закурил. Делая вид, что мучается над меню, он потихоньку прокручивал в голове, что скажет ей. Почему уехал? Почему не разбудил? Да мало ли... Дочь заболела. Собака умерла... Нет. Это, пожалуй, слишком. Что ещё? Может, мистическое что-нибудь? Мама во сне явилась и сказала: «Вставай и езжай!» Куда? А куда, не сказала. Потом неловко было, типа, что уехал. И не стал возвращаться... Бред! Так она и поверила! А может, вспомнил, что шефу отчёт итоговый не доделал? Ну конечно, то не помнил, не помнил, а тут вдруг в три часа ночи прям прошибло! Нет. Не пойдёт...

Принесли кофе. Он заказал пятьдесят «Джеймсона» и попросил не забирать меню. Начнёшь есть — потом уже не до мыслей. Разморит. Захочется побыстрее добраться до дома. Всё по накатанной.

Чтобы немного отвлечься, он стал разглядывать улицу за окном. Там всё было отвратительно и празднично. У балюстрады подземного перехода четверо невзрачных парней уламывали двоих таких же невзрачных, но ярко разодетых девчушек. И те и те — явно приезжие. Здесь так не одеваются. Тоже безвкусно в большинстве, но не так. Побогаче, что ли. Все пили пиво. Его аж передёрнуло от одной мысли о том, как можно заглатывать ледяную горьковатую жидкость, стоя на морозе среди окурков и слякоти. Он отвёл взгляд. Глотнул из стакана, ополовинив дозу, и снова закурил. Какая-то женщина в короткой шубке, ботфортах и с зачёсанными назад и забранными в тугой хвост волосами ходила туда-сюда под фонарём и разговаривала по телефону, яростно жестикулируя и строя порой такие гримасы, что можно было подумать — она делает мимическую гимнастику. Было заметно, что она то злится, то настаивает на чём-то. И вдруг резко, убрав телефон, она замерла. И простояла, наверное, не меньше минуты, застыв в отрешённой работе мысли. Потом дёрнулась, поднесла телефон к уху — и сцена продолжилась.

Он опорожнил стакан до дна и запил остатками кофе. Подошла официантка. Заменила пепельницу и забрала пустую посуду. Он заказал ещё пятьдесят.

Через дорогу, напротив двери в супермаркет, сидела собака. Что-то сильно человеческое было в её позе. Она сидела, привалившись спиной к фонарному столбу и понурив голову. Не рассматривая что-то и не вынюхивая. А именно — понурив. Просто сидела. Лишь изредка поводя носом, если кто-нибудь из покупателей проходил достаточно близко от неё. Он долго следил за ней, пока маленькими глотками цедил второй стакан. И вычислил, что не все сумки вызывают у пса интерес. Наверное, только те, что из мясного отдела. С копчёностями какими-нибудь или колбасой. Ему стало смешно. Потом он подумал, что пёс просто ждёт хозяина. Наверное, так. Ошейника отсюда не увидишь. Может, он вообще к столбу привязан?.. Ещё немного понаблюдав за собакой, он глянул на часы. Полчаса уже здесь. Надо позвонить. Он заказал ещё кофе и попытался сосредоточиться на том, что скажет... Просто правду? Что не готов? Душа заныла? Ребёнок и всё такое?.. Тогда зачем вчера говорил, что всё решил и готов?.. Так и не придумав, что сказать, он набрал её номер. Само как-нибудь разрулится, в первый раз, что ли!

«Абонент вне зоны действия сети».

Она на даче. Вряд ли куда-нибудь собралась. Значит, телефон выключила. Злится. Ну, теперь можно спокойно поесть. Мысли о еде вернули в русло. Он заказал пару жульенов, лазанью и какой-то мясной салат. И чай. И ещё пятьдесят. Перезвонить можно и попозже.

Лазанья была явно лишней. Он еле осилил половину. Оставался чай. И виски на глоток. Уходить не хотелось. Да и перезвонить надо ещё раз. Он налил себе чая, закурил и снова принялся разглядывать улицу. Нервная дама с телефоном исчезла. На её месте теперь перетаптывался с ноги на ногу образцово одетый мужчина средних лет. Наверное, ждал жену из магазина. И точно. Через пару минут к нему выкатился колобок, обвешанный кульками. У мужчины на мгновение проскочило на лице, мол, ты же

говорила, что только соль забыла купить... У балюстрады перехода вместо озабоченных переростков цедили пиво трое хмырей. Все в вязаных шапках и шарфах. Как на подбор. И только пёс под столбом через дорогу напротив всё ещё сидел, понурив голову.

Он глянул на часы. Или собачий хозяин скупает там полмагазина, или всё-таки псина сама по себе. На секунду представив, каково это — сидеть на мёрзлом слякотном асфальте и сходить с ума с голодухи от запахов, — он поёжился. И подумал, что надо бы попросить официантку, чтобы завернула остатки лазаньи. Можно будет угостить пса. Праздник же. И всё равно на ту сторону переходить, к метро. А может?.. Да так и так к метро.

Допив чай, что оставался в чашке, он подлил из чайника ещё и взял телефон. Пошли гудки. Он ждал, наверное, с минуту. Она так и не подняла трубку. Чёрт! Подумав, он решил, что, поступи с ним кто-то так же, он бы убил, честное слово! Не то что там трубку не взять. Да к чёрту всё! Надо ехать к ней. Они будут одни. Он ничего не будет объяснять. Просто попросит прощения и скажет, что дурак. И подарок есть. Он его уже целый месяц с собой таскает. Такой милый золотой кулончик.

Он крикнул официантке, чтобы принесла счёт. Рассчитался и выскочил на улицу. Взгляд снова упал на понурившего голову пса под столбом. Вот дьявол, забыл попросить завернуть остатки лазаньи! Ну ничего, в другой раз. Он сделал было несколько шагов в сторону собаки, чтобы сказать ей об этом, но решил, что это глупо. И спустился в метро.

Через час, уже подходя к машине, он вдруг сообразил, что после всего выпитого за руль садиться не следовало бы. Нет, он не был пьян. Но если продуют... Дороговато нынче из-под блюстителей уезжать. Что же делать теперь? Рискнуть? Гайцы́ тоже люди. Хотя кто их знает?.. У них в предпраздничный вечер самые заработки. Он глянул на часы. Добраться до метро, доехать до вокзала... Что там с электричками? Пусть даже повезёт — и будет сразу. Со станции до дачного посёлка на такси. Втридорога. Да ладно. Всем надо как-то жить. Всё равно на круг часа четыре с половиной выйдет. В лучшем случае. А сейчас уже десять. А до дома всего несколько минут ходу. Лучше завтра. Всё одно уже. Что так оправдываться, что эдак — ребёнок, подарки... О чём он думал? И пса того лазаньей не угостил... Он поёжился. Обычный промозглый ветер здесь, во дворах многоэтажек, превращался в отвратительный сквозняк.

Дойдя до подъезда, он долго стоял, прикуривая одну от другой и пытаясь настроиться на благодушный лад. Пока совсем не замёрз. Потом по привычке выключил звук в телефоне и поднялся в квартиру.

Продержаться удалось минут сорок.

Жена уже накрыла стол в большой комнате. Он что-то пожевал, выхватив куски с расставленных тарелок. Они выпили по стопке. Он предложил. Та изо всех сил лепила лицо. Но его с самого начала раздражало это молчаливое клеймо у неё на лбу: «всё ради ребёнка». Тихонько достал из шкафа и положил под ёлку подарки. Он лебезил, как мог. Но она опять собралась «гулять на полчасика». «Ребёнку нужно дышать свежим воздухом!» Да какой, к чёрту, свежий воздух?! Мороз, месиво под ногами, ветер. Что это за мания всё время «гулять»? Гулять — это когда в удовольствие. А не прорываться куда-то во тьме, чтобы с одной засранной территории среди домов и торговых центров переместиться на другую — не менее засранную, — среди куцых ёлочек и ржавой ограды замёрзшего пруда. Это называется «гулять в парке». Кто-нибудь вообще видел настоящий парк, кроме как в английских сериалах?! Она молча развернулась и пошла одевать ребёнка. Он психанул, схватил со стола початую бутылку водки и выскочил на улицу. Нужно было просто выйти. Вынырнуть из болота и начать двигаться. За руль нельзя. Дьявол! Тогда он подумал, что надо поехать к ней. Может, к утру доберётся. Прикинул, что на вокзал тащиться не обязательно. Есть платформа и поближе. Хотел поймать такси, но не стал. От людей тошнило. Кажется, встреть он сейчас кого-нибудь знакомого на улице, и его точно вывернет наизнанку вместе со «Здрасьте. С наступающим вас!» Он пошёл пешком. Рассудив, что — в конце концов — это лучший способ согреться.

Чем дальше он отходил от дома, тем ближе подкрадывалась мысль, что жена всё равно пойдёт «гулять». Идиотизм кромешный! Но раз так, может, вернуться? Подождать у подъезда?.. Ну уж нет! Он готов разделять многое. Но не упрямый тупоголовый идиотизм! Присев на низкую ограду школьного двора, он перекурил и сделал пару глотков из бутылки. Тёплая, согретая за пазухой водка оставила во рту гадкий привкус. Он выкурил ещё одну сигарету, чтобы смягчить неприятное послевкусие, и двинулся дальше.

Скоро дворы закончились, и он вышел на проспект. Машин, как ни странно, было немало. Хотя до полуночи оставалось каких-то полчаса. Вот неймётся им! Он сделал ещё глоток в ознаменование пройденного этапа. Надо идти дальше. Ещё далеко.

Мороз усилился. Хотя ветер немного спал. Ему начинало нравиться просто идти. Просто идти, делая по небольшому глотку из тёплой бутылки каждые несколько минут.

Он уже представлял, как доберётся до неё. Во что бы то ни стало. Да хоть всю ночь придётся пешком идти! И когда она увидит его — замёрзшего и усталого, — она всё поймёт. Она всегда всё понимает. Только расстраивается. Но он больше не даст ей повода...

Загрохотали и засверкали вдалеке над крышами салюты. Пять минут первого. Ну да, пора. Пришёл Новый год.

Он остановился и сбился с мысли. Сделал глоток. Закурил. И пока любовался далёкими фейерверками, стал представлять, чем они займутся после того, как выспятся. Это будет завтра, наверное, уже ближе к вечеру. Об этом приятно было думать. И ему захотелось оттянуть этот момент. Он выбросил окурок, поднял воротник куртки и двинулся дальше. Проспект длинный. Километра четыре по нему топать, если не больше. По правую руку тянется парк. Потом начнутся какие-то склады, заводы... А там уже недалеко. По объездной аллее где-то с километр — и платформа. Интересно, окажется там кто-нибудь ещё? Новый год — интересный праздник. Кажется, что все — просто все до одного! — должны быть около ёлки, с шампанским и мандаринами. Ну, те, что ведут электричку или метро, — это понятно. Или, там, на заправке неудачно в смену попал... А те, кто едет пассажиром в той же электричке? Или подъезжает заправиться? Неужели есть такие? Как-то не верится.

Тёмное месиво парка справа кажется бесконечным. На этой стороне проспекта ничего нет. Только фонарные столбы и редкие остановки. Вот уж действительно параллельное измерение. На следующей он выкинул в урну пустую бутылку и присел на лавку покурить. Металлическая лавка морозила ляжки. Он привстал и подоткнул куртку. Хотелось пить. Фонарь со столба ярко освещал полуоткрытую прозрачную коробочку остановки, и он, на секунду глянув на эту картину со стороны, почувствовал себя замёрзшей рыбой в аквариуме. Но вместо того чтобы позабавиться, он почему-то испугался. Быстро встал и пошёл дальше. До конца парка было ещё далеко.

Ещё через остановку его опять потянуло присесть. Хмель быстро выходил с испариной, оставляя в теле ощущение лёгкой дрожи, которую он списывал на холод. Ужасно хотелось пить. Можно было перейти на другую сторону проспекта и поискать магазин, но это бы нарушило его план. Сбило бы направление. Лучше дотянуть до платформы. Возможно, ближе к концу и на этой стороне что-нибудь попадётся. Он встал с лавки и глянул вперёд. До конца парка, где начиналась хоть какая-то жизнь, оставалось ещё несколько длинных остановок.

Опять поднялся ветер. И пошёл снег.

А если ближайшая электричка будет только часа через два или три? И вообще, что они там делают с расписанием в новогоднюю ночь? Да неважно. Надо дойти. Там и будет понятно. Он помахал руками, разогреваясь. В животе заурчало. Сейчас бы оливье мисочку и горяченького чего-нибудь. И чаю. Большую, его любимую, кружку чаю с лимоном. Очень сладкого...

Надо добраться до платформы. Что он, на самом деле?! Люди в экспедиции на ледники ходят! А тут чуть больше часа по городу прошлёпал — и уже всё? Нет уж!

Не дойдя до следующей остановки, он присел на корточки под фонарным столбом, спиной к ветру, и достал сигареты. Прикурив, он спрятал в ладонях огонёк зажигалки и долго смотрел, как тот изнутри подсвечивает замёрзшие пальцы, делая их красными. Пока не обжёгся.

Чёрт, как хочется есть! Знал бы, что так всё обернётся, так хоть тот кусочек лазаньи завернул бы и с собой взял! Он встал и оглянулся по сторонам. Проспект был пуст. Только машина такси неслась куда-то, хитровато поблёскивая шашечками на крыше. Где-то за парком громыхали невидимые салюты. Он потоптался с минуту. А потом, вспомнив, что с другой стороны парка живёт один из приятелей, перелез через сугроб и быстро пошёл в ту сторону.

Стена

При просмотре таких уже «старых» по сегодняшним меркам кинолент, как «Хороший, плохой, злой», «Кин-дза-дза», соловьёвской «Красной розы...» и даже досталевского «Облака-рай», мне всё чаще приходит в голову мысль, что духовная ценность мистерии обратно пропорциональна себестоимости её демонстрации. Кто-то может воспринимать их как фарс или пародию. Но в первую очередь — это мистерии. Это истории Духа. Увиденные его глазами и рассказанные от его имени. От имени той самой, трепетно искомой науками и религиями мира первичной, элементарной, неделимой частицы нас.

Автор

* * *

Легенду о Стене я услышал от своей новой знакомой.

Не то чтобы я вызывал у людей безотчётное желание немедленно поделиться со мной сокровенными мыслями или фактами биографии, скорее это было стечением обстоятельств.

Познакомились мы вполне заурядным образом. Машу перевели к нам в отдел, вот уже третий месяц лениво выпекавший эфемерные графики и диаграммы по текущему плану исследований, где я сам трудился аналитиком среднего звена. Обычная, ничем не выделяющаяся среди прочих команда. Мы занимались некоторыми аспектами реструктуризации Информационных Потоков (ИП), а точнее, расчётами зависимости уклонений ИП от доминанты мужского или женского населения на заданной территории — от предельно малых величин до бесконечных. Обычные статисты, работающие на крупнейшую, вернее — единственную в мире PR-корпорацию.

Термин Public Relation, сохранившийся с незапамятных времен, на сегодняшний день утерял свой первоначальный смысл. Он не устарел, но был доведен до абсурда неумолимой логикой истории. Что это за корпорация, занимающаяся связями с общественностью, когда вся общественность так или иначе задействована в корпорации?! Однако аббревиатура сохранилась. И Шут с ней.

На шестьдесят второй верхний, где располагался наш отдел, Маша переехала со сто двадцать восьмого нижнего, то есть подземного этажа. Чему была несказанно рада. Ходили слухи, что чем ниже сидит сотрудник, тем выше его статус. Но кто верит слухам?.. Так вот, Маша действительно была рада повышению... Даже не соображу, брать в кавычки слово «повышение» или нет? Если слухи верны — то надо. Но, если подумать, что важнее — удержать статус или выбраться из-под земли? Если последнее, то кавычки лишние. Но ведь это кому как, правда? И почём я знаю, как оно ей? Меня бы, например, радовала после имитирующих окон нижних этажей, которые, впрочем, ничем не отличаются от настоящих, хоть и такая же с виду, но реальность. Ведь невзирая на то, что панорама, открывающаяся практически из любого здания в Городе, представляла собой сплошной «забор» из соседних построек, всё же днём можно было увидеть наверху кусочек неба, а при удачном стечении обстоятельств ещё и лёгкий мазок перистого облака.

Ночью всё свободное от застройки пространство заполняли фантомаски — автономные голографические рекламные модули с функцией дистанционной настройки. Так что возможность увидеть что-либо на ночном небе требовала ещё большего везения. Вот краткая инструкция для последних романтиков — любителей встречать рассвет.

Во-первых, запаситесь очками с набором сменных фильтров, чтобы подобрать тот, который вернёт небу первоначальный цвет. Ибо угадать, какими средствами сегодня пользуется Служба Контроля Погоды, не дано никому — о непредсказуемости их действий уже несколько веков рассказывают одни и те же анекдоты.

Во-вторых, — не поленитесь — просидите на работе всю ночь, дожидаясь того момента, когда лучи ещё, наверное, невидимого солнца, начнут подсвечивать атмосферу. Тогда фантомаски выключат на сорок минут, для кэширования. Это, конечно, будет не совсем настоящий рассвет, но ваш внутренний мир предоставит полный спектр ощущений в прямой зависимости от затраченных усилий.

Когда-то давно коэффициент средней этажности Города регламентировался законодательно. Однако со временем дел внизу становилось всё меньше — и всякий «уважающий себя», то есть с соответствующими средствами, норовил забраться повыше. Строительные технологии достигли немыслимых высот и скоростей. Так что на сегодняшний день для гипотетического наблюдателя, расположившегося выше самого высокого здания, Город представился бы постоянно изменяющейся поверхностью, сравнимой с волнением в три-четыре балла. (Кстати, фраза «с высоты птичьего полёта» тоже давно вышла из обихода.)

Самыми низкими сооружениями — всего в сто пятьдесят этажей — навеки остались здания публичных файловых библиотек. А их в Городе было всего пять. Так что — не показатель.

Здание, в котором мы работали, не считалось новым — прошло уже шестнадцать месяцев с момента последнего демонтажа. Это немало, учитывая, что средний срок жизни подобных сооружений из лёгких конструкций составлял три года. Муниципальный счётчик, установленный на стене у главного входа, сообщал, сколько времени осталось у застройщика до ликвидации, а у сотрудников — до планового отпуска. Когда обратный отсчёт заканчивался, вступал в силу Закон о Целесообразности, точнее, тот его раздел, который касался «нецелесообразности дальнейшей эксплуатации», и вся надземная часть подлежала немедленному демонтажу. Приходил новый застройщик, оплачивал лицензию и за тридцать суток, отведённых по Закону, возводил следующее сооружение, у главного входа в которое тут же появлялся неумолимый счётчик. И так с каждым зданием в Городе, какое бы назначение оно ни выполняло.

Так что устаревшее слово «дом» давно уже вышло из оборота — по причинам своей неоднозначности. Его заменили более универсальные определения — «номер», принятое для обозначения индивидуальных секций в жилых блоках, и «работа» — термин, во все времена обозначавший место, где мы должны трудиться на них — для своего блага. «Они» — это не тайное мировое правительство, не заговор олигархов и не секта всезнающих шамбалистов. Вся планета давно уже иссверлена вдоль и поперёк. В ядре вообще теперь располагается энергостанция. Никакой загадочной Шамбалы так и не было найдено. С уходом последней мистической надежды пришлось взяться за здравый смысл и смириться с тем, что не существует никаких мировых заговоров. Так что теперь у нас в этом месте мир и покой. «Они» — это те, кто диктует правила. Эффективные и удачливые люди. Остальные — те, кто этим правилам подчиняется. Раз уж не способен на большее. Всё просто.

Многие слова и термины потеряли свой смысл безвозвратно и превратились в анахронизмы. В отличие от слова «город». Как это ни смешно, но место, в котором мы все живём, большинство всё ёще именует именно так. Оно и понятно. Когда, кроме Города, больше не стало ничего, превращение термина, обозначавшего категорию населённого пункта, в имя собственное выглядело закономерным. Ну, Город и Город. Мне-то что за дело? Названия не меняют сути вещей. Ничего с этим не поделаешь. А когда-то они эту суть определяли.

«Когда-то»... Надо быть свихнувшимся ренегатом вроде меня, чтобы интересоваться подобными вопросами. Разговоры об этом «когда-то», то есть о жизни до начала Нового Витка Спирали, не приветствовались. Крамолой не считались, но не приветствовались. В отличие от бесконечно обновляемых версий новейшей, post-новейшей и Шут знает какой ещё истории. Управленческие мотивы в этом вопросе привели к тому, что это вообще перестало кого бы то ни было волновать — да мало ли что было. «История — это мы!» А поскольку всегда есть эти текущие живые «мы», то и история должна быть такой же. Всегда здесь, под руками. Вот парадокс — лозунги предназначались изначально для управления массовым азартом. А кончилось всё тем, что они не просто уничтожили исходные данные, но и отбили напрочь стремление к ним. Критическое мышление за рамками заданных — читай «управляемых» — форматов автоматически выставляло «мыслителя» за порог социального института. Не фатально, конечно.

Я быстро схожусь с людьми, если они не вызывают у меня перманентной антипатии. Маша к таким не относилась. Учитывая, что её перевод в наш отдел состоялся всего за месяц до празднования Нового года, тем для разговоров в обеденный перерыв и в курилке было предостаточно.

Любая красная дата календаря по нонешним меркам — это скорее мучение, нежели отдохновение. Хорошо хоть, что в этот раз дата не круглая! А то в прошлом году устроили — решили, что переход «рубежа тысячелетий» — это не просто серьёзный повод, а ещё и ОЧЕНЬ ПОДХОДЯЩИЙ серьёзный повод. Шутка ли! Ничего не помогало! С их точки зрения, праздник — самый оптимальный, в сочетании «затраты-эффективность», способ консолидации Информационных Потоков и отработки новых методик. И, поверьте мне, хоть и рядовому, но всё же аналитику по профилю, — ни отключить, ни как-то по-другому избежать этого повсеместного проникновения в мозг нет никакой возможности.

От стробоскопического эффекта, который, как мне кажется, даже звёзды заставляет жмуриться, можно избавиться, просто запершись в номере и выключив окна. Выползающие из стен фантомаски можно забить «пауком», купленным на чёрном рынке. (Оштрафуют, конечно, если вычислят, но вещь очень полезная.) Избежать всякого рода неприятностей, связанных, например, с Законом, запрещающим без предварительной регистрации посещать любые общественные заведения в дни празднеств, тоже можно. А вот что делать с аэронейронными стимуляторами, разрешёнными особым законопроектом всего два года назад, которые распыляют в атмосфере и от которых даже биофильтры не спасают?.. Я так подозреваю, что и сам законопроект провели специально накануне «рубежа» этого. Чтобы масштабно опробовать, так сказать. Поговаривают, что умельцы наконец кустарно добились атомарного разрешения у фильтров нового поколения. Но пока — это всего лишь слухи, к сожалению.

В общем, мыслить надо позитивно — дата не круглая, и это маленькая, но радость.

За три дня до мероприятия я предложил Маше отпраздновать вместе. Не потому что там чего... А просто как-то за перекуром на мой безобидный вопрос о том, где она собирается встречать Новый год, Маша ответила — мол, не знаю, с прежними коллегами отношений не поддерживаю, и всё такое... В общем, замяла тему.

Странно это. С её слов, она там около четырёх лет проработала, на своём сто двадцать восьмом нижнем. Так неужели не с кем скооперироваться на пару часов феерии? Хорошо ещё, что законопроект хоть во времени их инициативы ограничивает. Нашёлся, видимо, кто-то ещё в здравом рассудке. Или это тактика такая последовательная? Шут его знает!

Я-то сам пообвыкся. Что бы там ни говорили, а человек при наличии желания всё-таки может если не противостоять массированному воздействию, то в какой-то мере управлять собственной психикой. Так что с меня эти сеансы, как с гуся вода. Это порочный круг, конечно, — работаем на них, от них же защищаемся. А что поделаешь? Всегда так было. Так что уж теперь. По кругу ходить — души не чаять. Хоть и доказали всё-таки отсутствие всякого её существования ещё лет сто пятьдесят назад. Я не то что сомневаюсь. Правда, конечно, — что нет. Но что-то же есть! Трудно разобраться... А если это провокация? Часть их Великой Методологии Естествознания? Вот что действительно возникает естественным образом, так это вопрос — на Шута им всё это нужно? Ну, про подготовку «условий для будущих рынков» мы каждый день слышим. А может, действительно, и нет никакого лукавства, и мнительность все эти размышления, да и только? И всего лишь в будущем рынка и дело всё? Мне даже сон как-то приснился, обалдеть! Будто уговорила меня жена (которой, кстати, на самом деле у меня нет) выбраться наконец в выходной на межгалактическую распродажу. Оделись мы, значит, поприличнее, капсулу свою из гаража вызвали и понеслось... Подлетишь к какой-нибудь планетке на краю обследованного пространства, глядишь, а она голографической фантомаской перевязана, как бантиком, сообщающей — на чём люд местный специализируется, — ну, например, на ложках канонической формы. И поговорить-то не с кем. Порасспросить, мол, как жизнь и всё такое. Влетишь в зону действия мировой системы «Da@Net», кнопку ткнёшь — заказ сделаешь, код личный введёшь, — и набор наибезупречнейших ложек уже в номере, в специальной камере. И так весь день. И разговоров-то с женой только что «Может, возьмём?» да «Смотри сама». И так реально всё, что утром даже сомнения взяли — это я тогда спал или сейчас во сне проснулся? Вдруг они и в сны уже научились своими методиками проникать?! Ну, всё тогда — конец! «Матрица» «с овчинку» покажется... Это фильм такой, из древних. Как вам объяснить, что такое «фильм»? (Я уже промолчу про «с овчинку».) Представьте себе такую длинную — часа на полтора — рекламу, с сюжетом. Вот приблизительно так. Сам фильм я не видел. Наткнулся случайно на описание в файловой библиотеке, а пока читал, путь к данным исчез. Так там, в кратком изложении сюжета, говорилось, что у людей тоже не очень всё хорошо складывалось, а может, я что не так понял...

В общем, предложил Маше куда-нибудь сходить вместе в праздничную ночь. Какие цели преследовал — сам не знаю, толкнуло что-то, и всё. Она странно так на меня посмотрела и говорит: «Зачем? Ты же ненавидишь всё это?» — «Ну, — отвечаю, —

не то что ненавижу. Не настолько, чтобы...» — «А на сколько?» — перебивает. Я ей: «Маш, не провоцируй! Вместе всё веселее будет, как-никак. Я обычно вообще никуда не выбираюсь. Ну, что скажешь?» А она: «Ты кого больше пожалеть хочешь, меня или себя?..» Умная. В общем, согласилась.

Надо сказать, что её перевод в наш отдел пришёлся как раз на момент, когда превосходящие силы руководства мобилизовали нас полным составом. И не только наш отдел, кстати. А дело было в следующем.

На определённом этапе было вычислено, что ИП, достигая неких величин распространения, начинали завихряться. Было замечено, что завихрения эти обладали устойчивыми параметрами — как будто происходили под давлением постоянно действующей силы. Явление было зафиксировано, определены его характеристики, и сразу после официального заявления об открытии ему было присвоено имя — Казус пороговых величин ИП, или просто — Казус. А сила, являющаяся причиной этого явления, была названа Информационным Ветром.

Основным следствием воздействия И-Ветра на ИП было то, что в общем цикле завихрений последние совершали как бы круговое движение, так и не преодолев определённой величины распространения, названной критической. Это было неожиданностью для существующей не одну сотню лет Модели Эволюции и Управления, на которой, кстати, и была построена вся Современная Методология. Однако безупречный имидж Модели не должен был пострадать, и на отделы, включая наш, спустили ориентировку: «О временном приостановлении текущих тем в связи...» и так далее.

— Маш, да ну её к черту, эту доминанту! — распалялся я в курилке. — Ты представляешь, вызывают меня пару недель назад, ещё до твоего перевода, и говорят: «По текущим отчётам видно, что вы отдаете предпочтение группам обследования предельно малых величин. В то время как запросы отдела Реализации на анализ ситуаций с величинами «пороговых» порядков остаются необработанными. Это недопустимо. Тем более учитывая, насколько это является важным сейчас в решении актуальной для всех проблемы Казуса». Представляешь?! «Актуальной для всех»! Для всех — это для кого?! На Шута мне их Казус с его Порогом, если я со своим разобраться не могу! В общем, я им, мол, если проработать до конца предельно малые — то это повысит шансы избежать принципиальных ошибок в решении Казуса... А они мне: «С предельно малыми всё давно ясно! Потрудитесь, пожалуйста, предоставить в кратчайший срок анализ по пропущенным вами в последних отчётах позициям».

— Ну, и что же? — Надо отдать должное, Маша внимательно выслушала, ни разу не перебив.

— Как «что же»?!

— Я не пойму, что тебя не устраивает-то?

— Да то, что им, понимаешь ли, с предельно малыми «всё давно ясно»! Вот что меня не устраивает! Они со своим кретинским языком уже забыли даже, что это вообще означает...

— И что же это означает? — Ровный голос Маши напомнил мне о том, что я её, в сущности, совсем не знаю. И чем она занималась четыре года, сидя на сто двадцать восьмом нижнем, где я за двенадцать лет работы не побывал ни разу, мне тоже было не известно.

— Как что?! Человека, конечно. Просто одного человека. Его... его... — на язык просилось то самое старинное слово, но у меня ещё не совсем мозги отсохли, чтобы говорить о таких вещах хоть и с приятным, но всё же с недостаточно знакомым собеседником.

— Что «его»? — Её голос оставался всё тем же ровным и спокойным, но глаза, показалось, немного сощурились.

— Его... его менталитет, особенности психики, да мало ли что ещё. Главное, что речь идет о ЧЕ-ЛО-ВЕКЕ! — «Всё, — подумал я, — ничего такого я не сказал».

— Ну конечно, о человеке. Чего ты так разбушевался? Это всем известно. Поэтому-то, собственно, и значения никто не придаёт.

— Да я не о терминологии!.. Ладно, оставим. Шуту всё ясно, — а нам, значит, тем более! — сам не зная почему, я немного разозлился.

— Ну, если ты всё это говорил, чтобы воздух сотрясти и позлиться, тогда, конечно, оставим... — теперь Маша уже откровенно улыбалась, с хитринкой поглядывая на меня.

— В каком это смысле? — Её лишённая сарказма ирония слегка успокоила и одновременно заинтересовала. Обычно, если меня где-то прорывало, на меня смотрели, ну, как... на помеху, что ли. Если не сказать грубее.

— Да в том смысле, что, если я правильно поняла, ты хотел рассказать о чём-то. О чём-то, что понял сам... — Она слегка наклонилась ко мне, сделала серьёзное выражение лица и наигранным заговорщическим голосом продолжила: — ... вне Информационных Потоков, да?

Если бы я мог представить себе «лицо» безупречной провокации — это было бы оно. Вне всяких сомнений!

«Шут меня дёрнул в очередной раз психануть не вовремя!» Так я подумал. А подсознание щекотали совсем другие ощущения. «Я ведь человек, каким-никаким чутьём обладающий... Не мог же у меня элементарный провокатор симпатию вызвать... А Маша мне нравится... Их там, конечно, учат ого-го... А я здесь при чём?.. Я — казус по масштабу такой мелкий, что незачем бы им было ко мне такую... такую, в общем, посылать... Тут рассчитывай не рассчитывай, а коли уж от природы таким вышел, так рано или поздно всё равно впросак попадёшь...»

— Хорошо, — сказал я, прерывая ход собственных мыслей, — я расскажу тебе, что думаю о предельно малых величинах. В конце концов, какая разница, по каким причинам я закончу жизнь на помойке. Спячу ли от собственных мыслей или...

— Может быть, всё-таки не стоит? — Если ощущения меня не обманывали, то Маша уже просто откровенно издевалась.

— Ещё по одной?

— Закуривай. Подпортим пару характеристик у группы обследования.

— Маша!

— Ладно, ладно! — она засмеялась.

— Так вот. Скажу сразу — концептуальных размышлений всякого рода у меня было много. Но однажды родилась мысль провести эксперимент. Если она, величина, в смысле, действительно предельно мала по Методологии ИП, то и функция, описывающая динамику развития и всё такое, должна быть принципиально простой, как всё гениальное, если исходить из того постулата Методологии, который говорит, что «всё многообразие — лишь видимая проекция смешанных архипараметров бытия», — начал я, прикурив Маше сигарету. — Я же аналитик и всё такое, но всё же не математик. Отнёс свои выкладки и предположения на четырнадцатый — у меня там приятель есть — вместе очередные тесты на профпригодность проходили. Попросил посмотреть, если время будет. Он сказал, что через недельку сделает. А через недельку он меня как по голове огрел своими выводами. «Ты, — говорит, — вроде предельно малыми интересовался? Что-то не похоже... Я, конечно, не гений, но, с учётом твоих выкладок, формулу вывел. Действительно простую, как ты и предполагал. Собрался уже было тебе звонить, да решил в последний момент проверить её на интеграцию по базовой схеме на пятнадцатом. И вот тут началось! При достижении определённых значений всё вдруг рассыпалось и превратилось в какую-то ахинею, бесконечную и неуправляемую... Я три дня пытался сообразить, что происходит. Но, видно, ошибка в посыле». Он так и сказал тогда: «бесконечную и неуправляемую»! «Так что на повышение, — говорит, — не рассчитывай, порадовать мне тебя нечем. Не работает твоя идея...» Порадовать ему меня нечем! Да он и представить себе не мог, на какой вершине радости я оказался. Посыл у него, понимаешь, ошибочный. Да пусть каким угодно будет посыл, если предельно малая вдруг оказывается калиткой в «бесконечное» и «неуправляемое»!

* * *

Итак, Маша приняла приглашение.

Заведение, которое за нас по наличию свободных мест и сообразно принципу усреднённых возможностей выбрал электронный справочник, походило на огромный унитаз, со входом, расположенным там, где у настоящего унитаза обычно бывает выход.

Была ли повышенная степень консолидации ИП причиной массовых скоплений, или массовые скопления использовались для проверки методик в режиме критических величин — неизвестно. В любом случае, пойти в присутственное место было ошибкой, и я это знал. Но что-то подсказывало — при наличии внутреннего несоответствия ситуации именно критические величины способны вызвать к жизни или, точнее будет сказать, проявить что-то реальное. И как бы кощунственно это ни звучало, это реальное, вероятно, приходит из области вне Информационных Потоков...

— Зря мы сюда пришли, — голос Маши отвлёк от размышлений.

— Читаешь мысли.

— Правда?

— Неправда, — соврал я, — чем здесь плохо? Всё равно везде достанут. Лучше уж... — «на территории врага», хотел добавить я, но промолчал.

— Лучше уж что?

— Лучше уж вместе.

— Это признание в том, что я тебе нравлюсь?

— Да, если хочешь.

— Что значит «если хочешь»?! Грубиян!

— Прости, я не это хотел сказать. Мне действительно хорошо с тобой, и я готов пойти на то, чтобы торчать в этом «унитазе», только чтобы провести с тобой ещё немного времени.

— А и правда — на унитаз похоже! — она рассмеялась. — Нельзя было раньше признаться? Не думала, что ты такой застенчивый.

— Я сам много чего о себе не думал.

— Так ещё не поздно.

— Думать?

— Нет. Уйти отсюда.

— Поздно.

— Почему?

— Сейчас будут Шута транслировать.

— Ерунда. Отсидим Трансляцию и сразу уйдём.

— Ерунда? — Я удивлённо и с оттенком недоверия посмотрел на неё и повторил уже более настойчиво: — Ерунда?!

— Ладно, ладно... не ерунда. Но сейчас уже и правда никуда не денешься, ты же знаешь, — ответила она.

Я машинально оглянулся по сторонам.

Шут — это «...тот, кто встал в начале Нового Витка Спирали», — гласит стандартный пафосный речитатив номенклатуры. Одни говорят, что он живёт вечно, другие — что ему от силы-то, может, лет тысяча. Но сплетни и домыслы скорее говорят о мнительности тех, от кого они исходят, нежели отражают действительное положение вещей. Да и вообще, всем наплевать. Начальник через одно звено иерархии — и тот уже расплывчатый образ. Что уж о верховных говорить.

В том сознании людей, что по меткому определению какого-то доисторического идиота до сих пор принято называть «массовым», Шут был «олицетворением Естествознания».

Как-то, занимаясь поисковой работой в библиотеке, я наткнулся на некоторые сведения по истории вопроса. Не биографического свойства, конечно, об этом и речи идти не могло. Странно, что я вообще нашёл хоть что-то. Просто повезло, наверное. Потом, кстати, как ни бился, а пути к этим данным найти больше не смог, что лишний раз подтвердило мои опасения насчёт своеобразной избирательности ИП.

Оказывается, в самой глухой из глухих древностей тоже существовали игры. Ну, как у нас лото, например. И среди прочих — карты. Одна из карточных систем называлась TAROT. Однако древние люди использовали карты не только для игр, но и для так называемого «гадания». Гадать — это значило пытаться получить недоступные расчёту сведения, интерпретируя значения и алгоритм расположения символов, изображённых на картах. Дикари! Человек наугад доставал карты из общей колоды и раскладывал их в количестве и последовательности, определённых одним из способов «гадания» и, как следует из прочитанного мной текста, «видел в получившейся картине ответы на свои вопросы», касающиеся, как правило, будущего. Говорю же, дикари!

Ну так вот. Одна из карт системы, о которой я упомянул, называлась... Как бы вы думали?.. Шут! Все карты внутри системы символически разбивались на группы по разным признакам, у них были свои номера, но эта — была нулевой! И символизировала она — вы, конечно, можете смеяться — Душу человека!

А уж символическое её значение и подавно могло бы свести вас с ума: «новый виток в спирали бесконечности, самозабвенный идеализм, начало нового цикла жизни» и... «неумение рассчитывать последствия»!

Может быть, конечно, всё это мои домыслы, но, согласитесь, через совпадения такого масштаба всегда проглядывает некоторый смысл. И что вы скажете о том, что символом Шута является Душа, которую он же и отменил, а? Или то, что создатель Информационных Потоков «не умеет рассчитывать последствия»? То-то... Вот с того времени и разладилось у меня в голове.

Дело ещё в том, что каждый раз, когда Шута транслировали во все Информационные Потоки одновременно, увеличивалось количество самоубийств, статистически зафиксированных в период Трансляции. Даже мне — рядовому сотруднику — это было известно. Что-то здесь не так.

— Если тебе будет не очень хорошо — просто возьми меня за руку.

— А если тебе самому будет нехорошо? — в Машином голосе на секунду промелькнула нотка отчаяния.

— За меня не беспокойся, — ответил я, выковыривая из пачки очередную сигарету. — Я привык.

— Как это привык?

— Да вот так. Временно переставляешь приоритеты — и дышишь глубже...

«У женщин более тонкая структура внутренней организации ассоциативных рядов» — это ещё в школе проходят, на курсах профпригодности. Более тонкая — и более ранимая, соответственно.

— Научу потом.

— Научи сейчас.

— Сейчас не успею. Просто возьми меня за руку. Если станет невмоготу, сожми её слегка.

Боковым зрением я уловил, что Маша смотрит на меня. А смотреть друг на друга в присутственном месте считалось недопустимым нарушением норм общественной морали. При этом если спутница, оголившись, водрузится на ваш член — это никого не побеспокоит. Даже внимания не обратят. «Живи по Правилам — и делай что хочешь» — вот он, их оптимальный баланс между свободой и зависимостью.

— Просто возьми меня за руку, — повторил я, не оборачиваясь. — Прямо сейчас.

Кажется, мои слова успокоили Машу.

— Ладно. — Её рука с осторожностью сначала коснулась, а потом крепко обхватила моё запястье.

До начала Трансляции оставалась пара минут. Шум, гам и треск, в которых с трудом угадывались мелодия и слова популярной в последнюю неделю песни, достиг такого уровня интенсивности — не путать с громкостью, — что сознание автоматически начало блокироваться.

В этот момент я вдруг почувствовал слабое давление в области запястья и повернул голову.

— Что случилось?

Её взгляд был немного испуган, но глаза почему-то светились глубокой радостью.

— Просто хотела проверить...

— Понятно, — сказал я, сразу отворачиваясь. — Это правильно. А радуешься-то чему?

— Как ты разглядел?

— По глазам... Они же — зеркало... — на мгновение я моторно задержал дыхание.

— Души — ты хотел сказать?

Я выдохнул и, не удержавшись, вновь посмотрел на неё. Вместо того чтобы усилиться, как я мог предположить, испуг, наоборот, исчез совсем.

— Мне мама рассказывала.

— О душе? — спросил я тихо и снова отвернулся.

— Какой же ты глупый... — только и успел я услышать в ответ. Началась Трансляция.

В первый момент хаос звуков, казалось, обрёл внутреннюю структуру — отдельные части пространства, сливаясь и уплотняясь, образовали новую материю — вибрацию, гул. «Так всегда...» — ещё успел подумать я, и сознание тут же заблокировалось окончательно, оставив бразды правления основным инстинктам.

Фантомаски преображались. Как будто огромные насекомые, они набухали, всасывая в себя через невидимые хоботки что-то бурое. Набившие оскомину сюжеты, как шелуха, осыпались с их раздувшихся туш, уступая место странным картинам. Которые, наверное, и можно было бы осмыслить, но заблокированное сознание воспринимало лишь эффект «уплотнения» пространства. Это ощущение, эволюционируя в безумной прогрессии, приближало нас к последнему скачку.

Последний скачок делал все зрительные, слуховые, обонятельные, осязательные и даже вкусовые ощущения консолидированными настолько, что ничто уже не оставалось вне восприятия Образа. Если бы вас потом спросили, видели ли вы или слышали Шута, подобный вопрос поставил бы вас в тупик. Потому что вы его не видели, не слышали, а также не щупали, не нюхали и не пробовали на зуб. Вы воспринимали Великий Образ. Воспринимали всем, на что были способны ваши жалкие тело и мозг.

Но что-то пошло не так. Вместо скачка, в качестве последнего воспоминания оставлявшего обычно нечто похожее на звук рвущейся от чрезмерного натяжения плёнки, у меня произошла резкая разблокировка сознания. И первое, что я увидел, точнее, на что оказался направлен мой взгляд, была непонятная сцена ближайшей ко мне фантомаски: какое-то странное пятнистое животное огромными скачками догоняло другое — полосатое. «Почему я вижу это?..» — вторая мысль была прервана странным ощущением в области запястья. «Ты тоже это видишь?» ... — «Это я говорю?» — «Посмотри на меня, посмотри на меня, *посмотринаменя...*»

— Посмотри на меня! — Машин голос, как неожиданная вспышка света, окончательно выкинул меня на поверхность привычного восприятия.

— Что случилось?

— Чудо.

— В смысле?..

— Оглянись! — Я медленно повернул голову — мимо проходил официант.

— Позвольте... э-э, — привычным жестом вскинулась рука.

Не меняя улыбчивого выражения лица, тот, чуть не задев моё кресло, невозмутимо проследовал к другому столику. Там сидела компания — двое юношей со спутницами. Они весело засмеялись, когда один из них что-то сказал подошедшему официанту. Ещё ничего не осознавая, я встал и подошёл к ним.

— Что случилось? — Никто даже не посмотрел в мою сторону. «Что происходит?» — задавал я один и тот же вопрос, обходя в зале столик за столиком. Меня заклинило, я чувствовал, что набухаю изнутри... И неизвестно, чем бы это всё кончилось, если бы Маша не вернула меня на место.

— Успокойся, прошу тебя.

— Что происходит? — не унимался я.

— Я потом тебе расскажу.

— Да что происходит-то, объясни мне наконец!

— Не кричи. Ничего особенного не происходит, — спокойно сказала Маша, сделав упор на «ничего особенного». — Идёт Трансляция. А мы... Мы почему-то выпали. Вот и всё.

— Что значит выпали?

— Выпали — значит выпали! Не могу пока объяснить почему, но почти уверена, что каким-то образом мы помогли друг другу. Мы были вместе, как бы заодно, и...

— Ты хочешь сказать, что Трансляция продолжается? — я не слушал её.

— Да, продолжается.

Смысл Машиных слов с трудом доходил до меня. И сознанием на какой-то миг вновь овладел полуживотный спазм — быстро оглядевшись вокруг и не уловив в поведении людей ничего странного, я резко поднялся из кресла и стал размахивать руками. Потом громко крикнул и легонько заехал в ухо возвращавшемуся от столика с молодыми людьми официанту... Ничего не произошло... Меня никто не замечал! «Ничего особенного... Ничего особенного...» За исключением того, что я, видимо, оставался для всех как бы за гранью восприятия! Меня не было!

— Хватит хулиганить, посмотри лучше на то, что стало с фантомасками! — Машин голос снова вернул меня на место.

Действительно, стробоскопический эффект исчез. А вместо привычно-разрядной рекламы фантомаски показывали непонятные картины. Вот на одной из них человек руками, обёрнутыми во что-то, бьёт по лицу другого — и у того из разбитого носа и рассечённой брови хлещет кровь... На соседней — бородатый человек в окровавленных тряпках вместо одежды, стоя на коленях, о чём-то просит другого, стоящего перед ним и смеющегося человека, потом тот, что смеялся, достает из-за пояса большой тесак и одним ударом разносит просящему голову чуть ли не пополам... На следующей — молодые люди — мужчина и женщина, обнажённые, если не считать головных уборов — у него шляпа странного вида, а у неё накидка, прикреплённая к волосам обручем, — стоят на коленях у какого-то позолоченного сооружения и улыбаются, а потом они же занимаются сексом на фоне крупно написанного на стене ярко-алой краской слова «любовь»...

А звук... Что стало со звуком! Какофония хаоса исчезла. А вместо неё звучал немыслимо мелодичный ритм, который приятный мужской голос сопровождал словами: «И молодого командира несли с пробитой головой...» Не приходилось сомневаться в том, что это песня. Несколько человек, как ни в чём не бывало, танцевали под неё в центре зала.

— Что это?..

— Ты о музыке?.. Понятия не имею. Ни разу такого не слышала. И слова странные такие. — Я почувствовал на подбородке Машину руку. Она мягко повернула мою голову к себе. — Теперь мы можем спокойно говорить, глядя друг другу в глаза, — сказала она.

— А если...

— Ты не понял. У нас есть ещё немного времени до конца Трансляции. Для них, — Маша махнула рукой в сторону, — мы невидимки!

Беззаботная лёгкость, с которой она произнесла эти слова, тут же заставила меня усомниться, всё ли так безоблачно на самом деле, как её искрящиеся глаза.

— Получается, что так, но... — ничто так быстро не приводит в порядок мысли, как привычный страх. — Только вот я подумал, если что-то у них даёт сбои, то должны быть и те, кто за этим следит и контролирует...

— Ты прямо как повстанец древних эпох, — прервала меня Маша. — Каких секретных файлов ты там начитался в библиотеке?

— Ничего я не начитался. Закон обязывает соблюдать порядок. А то, что с нами сейчас происходит, по их меркам есть НЕпорядок. А если есть непорядок, то через пять минут здесь должен появиться Закон. Простая логика.

— Простая, но ущербная по сути. Мысли масштабнее. Статистически накопленные отклонения от нормы — тоже своего рода норма. Для них главное — расчёт. А всё, что поддается расчёту и описанию, автоматически становится просто очередным его критерием. Расслабься. Никто не придёт. По их методике — мы просто элементы нецслевой аудитории. Неужели ты думаешь, что мы первые и единственные, выпавшие случайным образом из Трансляции?

— Если, конечно, предположить, что...

— И предполагать нечего! — Я никак не мог привыкнуть к тому, что Маша задавала вопросы вовсе не для того, чтобы услышать на них ответы. Мои, по крайней мере. — Избирательность ИП и их Целевое Использование — основа основ. Это догмат. Если ты не слышал о случаях, подобных нашему, — это ещё не значит, что они не происходили. Старый анекдот про курицу помнишь? Один человек съел курицу. А другой не съел ничего. Статистика утверждает, что на единицу населения приходится по полкурицы. Как ты думаешь, сколько среди трёхсот пятидесятимиллиардного, набившего брюхо курятиной населения планеты таких, что остались внестатистически голодными?

Я мудро рассудил, что ответа с моей стороны опять не предполагается.

— То-то! Ясно, что не только мы двое сейчас!

Невзирая на некоторую мою растерянность и некоторые сомнения по её поводу, я всё же чувствовал, что Маша, несмотря на видимость постоянной лёгкой ироничности, была права, но мой опыт... Хотя какой, к Шуту, опыт?! Всё зависит от того, как его рассматривать. Может, весь этот так называемый «негативный опыт» — всего лишь спонтанно сформировавшаяся мнительность в отношении отдельно взятых событий. А символическую последовательность я присвоил им сам, что и позволило в дальнейшем выработать то самое «отрицательное» отношение. Рассуждения верные. Однако интуиция на уровне инстинкта продолжала настойчиво щекотать в районе третьего шейного позвонка.

— Лучше всё-таки уйдём сейчас, — попробовал настоять я.

— А вот этого делать как раз и не стоит.

— Почему?

— Да потому что если мы уйдём сейчас, то действительно нарушим Закон. Причём основной. А если я правильно понимаю, именно это тебя и напрягает, если не сказать прямо — пугает.

Я недоумённо нахмурился.

— Какой же ты у меня несообразительный...

Это её «у меня» прозвучало так неожиданно нежно, что я даже немного смутился и не стал заостряться на пусть и косвенном, но всё же обвинении в трусости от женщины. Хотя в этом смысле я всегда был очень щепетилен.

— Уйти-то мы уйдём, — продолжила она через мгновение. — И даже очень незаметно, как ты понимаешь. Но что, по-твоему, сделает официант, когда обнаружит по окончании Трансляции столик с опустевшими тарелками — и без нас? Или ты собираешься оставить ему на память свой личный код? — она потеребила меня за шею и рассмеялась. Действительно, об этом я как-то не подумал.

ОЗП, то есть Основной Закон Потребителя, занимает больше половины объёма ОСП — Общего Свода Правил, — который вместе с личным идентификационным кодом, являющимся заодно и Универсальной Коммуникационной Системой (в просторечье УС), даётся человеку, достигшему возраста СНП (Совершенно Независимого Потребителя), то есть восьми лет, и в виде неразличимого глазом микрочипа навечно остаётся в третьем шейном позвонке. Что лично я всегда расценивал как издевательство с элементами садизма.

Надо заметить, что я успел поразиться, с какой естественностью Маша воспринимала неожиданно свалившиеся на нас неадекватные обстоятельства и связанные с ними переживания. Складывалось впечатление, что она просто ожидала всего этого со всей ясностью сознания, на которую способна только женщина. В отличие от меня, привыкшего даже перед самим собой не афишировать пугающие догадки.

— Я хотел тебя спросить... — начал я, на ходу формулируя вопрос.

— Сейчас закончится Трансляция. Давай поговорим дома...

Стоит ли уже удивляться тому, что даже вопрос я не смог договорить до конца.

— Дома?.. Ты сказала — дома?!

— Да, я сказала «дома». И я знаю, о чём ты хотел спросить.

— Откуда ты можешь знать?..

— Какой же ты глупый...

«Дежавю», — только и успел подумать я. В следующий миг стало ясно, что Трансляция закончилась.

* * *

Но закончилась лишь Трансляция. «Праздновать» предстояло ещё долго.

Так что первым делом, войдя в номер, я включил «паука». Тот миролюбиво зажужжал, рассеивая и выгоняя с территории плавающие, ползающие и всякие прочие «праздничные» фантомаски, и комната сразу погрузилась в полумрак.

— Любимое домашнее животное, — произнесла Маша и, наклонившись, погладила блестящий овальный корпус прибора. — Твоего как зовут?

— Зовут? — не понял я.

— Ну да. Прозвище ты ему придумал какое-нибудь?

— Да нет. Как-то в голову не приходило. Достаточно того, что он неплохо справляется со своей работой...

— Это для тебя достаточно, — резко выпрямившись, сказала Маша. — А о нём ты подумал?

— О нём?.. — я недоумевал.

— Да, о нём! — вскинув голову, она посмотрела мне в глаза. — Он трудится, чтобы дать тебе возможность с комфортом грызть себя сомнениями без конца, а ты даже не благодарен ему за это!

— Так он же просто...

— Не просто! А твой верный и надёжный слуга и друг! Ах ты мой одинокий безымянный дружок, — Маша, присев на корточки, вновь погладила «паука». — Назову-ка я тебя... будешь ты у меня... Пуня! Вот кто ты теперь! Пуня, Пу-унечка, хороший мой, — приговаривала она, продолжая поглаживать блестящий панцирь. На какое-то мгновение мне даже показалось, что тот в ответ зажужжал мягче и уютнее. Но ощущение быстро прошло.

«При чём здесь Пуня... тьфу ты! При чём здесь «паук»?!» — думал я, пытаясь обрести в мыслях утраченную последовательность. «Всё дело в ней... Это с её приходом как-то всё оживилось, если допустимо так говорить... Это с её появлением в моей жизни что-то очень важное и неосознаваемое внутри вдруг зашевелилось и...» Дурацкий мозг — сволочная моторная функция, — перебил меня.

— Всё-таки меня не покидают мысли о том, что, выпав сегодня из Трансляции, мы засветились. Ни для кого же не секрет, что изначально Система по приоритету была ориентирована на функцию контроля, — вдруг неожиданно для себя сказал я и потёр шею.

— Да, но тогда это было оправданно. — Маша оторвалась от «паука» и стояла теперь в полумраке в двух шагах от меня. — Демографический взрыв действительно поставил человечество на грань уничтожения из-за неготовности правительств принять изменения, произошедшие в сознании людей. Требовался пересмотр законов и стратегии управления в планетарном масштабе...

— Да уж, — перебил я её. — Зато потом они замечательно справились с этой проблемой. Просто-таки «открыли людям глаза», Шут их разбери вместе с Универсальной Методологией! И, если ты помнишь из истории, первое, что они сделали, — это сняли блокаду, объявив об отмене Закона о Контроле над Населением.

— Глава «Великое освобождение» в учебнике по Естественной Истории.

— Вот-вот. «Великое освобождение». Вылезти из одной задницы, чтобы тут же застрять в другой по самые уши! Как им удалось снять напряжение, оставив при этом Систему действующей, до сих пор не могу понять...

— Просто к тому времени все уже свыклись. Или это было первым, к чему они применили свою Методику Информационных Потоков. Если ты помнишь, именно тогда, кстати, и был создан Мировой Совет по Связям с Общественностью (WUPR), взявший на себя функции по координации ИП. С тех пор ещё шуточный тост пошёл «За твою мировую с общественностью!», помнишь? Ну, каламбур такой от аббревиатуры — Ю Пи аР — твоя связь с общественностью...

— Да помню, помню... дурацкая шутка.

— Я к слову...

— Прости. Давай-ка покурим. — Я повернулся и перевёл ближайшее «окно» на режим вытяжки. Придвинул пару кресел и на панели «источники света» нажал кнопку «пол». В ответ тот заструился лёгким голубоватым мерцанием. Маша молча наблюдала за моими действиями. А я на секунду залюбовался её лицом, преобразившимся из-за необычной картины теней. — Что-то не очень, да? — сказал я, увиливая от чуть не возникшей внутри неловкости, и переместил «окно» левее на метр и немного опустил. — Вот так поуютнее будет. Присаживайся.

Мы сели и закурили. Минутная неловкость сменилась какой-то пустотой в мыслях, не обременяемой моторной функцией. Некоторое время мы молча выпускали дым в сторону «окна».

— Ты ещё помнишь, о чём хотел спросить меня?

— Да. Но ты сказала, что знаешь. Так что, может быть, сразу ответишь? — Детская шалость. Я решил её проверить.

— Хочешь проверить? Ладно, — Маша улыбнулась. — Ты, наверное, думал, что один-единственный такой на свете, а когда почувствовал, что это не так, тебя разобрало здоровое любопытство — тебе захотелось услышать другую историю, верно?

— Верно. — Надо было отдать должное её проницательности.

— Но моя история началась давно, и если ты действительно хочешь её услышать, приготовься к тому, что может не хватить и ночи.

— Лишь бы хватило жизни, — почти про себя пробубнил я. Но Маша расслышала.

— Что за настроения у тебя вечно? Почему ты думаешь, что мир решил во что бы то ни стало покончить с тобой?! Такое впечатление, что ты всё время пытаешься угадать, а что сегодня послужит ему поводом для этого! Мне придётся разочаровать тебя — ему повод вообще не нужен! Материальную и теологическую составляющие бренности мы можем испытать на себе в любой момент безо всяких видимых, для нас по крайней мере, причин. Да! Мудрый помнит о смерти, но ищет её только больной... некрофил!

— Ну, здрасьте!

— Не «здрасьте», а я просто поражаюсь порой, до чего косны могут быть люди в своих пристрастиях или в способах избавления от них. Что одно и то же, по большому счёту.

— Каждый сопротивляется по-своему, — в этот раз перебил я.

— Сопротивляется чему?!

— Им.

— Им?! А что они делают такого, чему нужно сопротивляться?

— Разве ты не понимаешь?!

— Ка-ак! «Разве ты не понимаешь?!» — с наигранным пафосом передразнила меня Маша. — Я понимаю всё, о чём ты говоришь, но и ты пойми, наконец! Не они это делают с нами — мы сами делаем это для них. Всю нашу жизнь, за которую никто, кроме нас самих, не взялся бы отвечать, мы устраиваем так, чтобы им не досаждать. Вроде как они сами по себе, а мы сами по себе. Нет по отдельности никаких ни нас, ни их. Есть мы. Мы все, варящиеся в одном котле. Кто-то решает, что он умнее — и идёт к ним помогать разбираться во всём, а кто-то думает, что и так сойдёт — сидит и ждёт, пока они ещё что-нибудь придумают. И все боятся. Одни — ошибиться, другие — не дождаться. И все вместе — почувствовать себя лишними, ненужными ни другим, ни миру. Вообще никому! Даже самая последняя тварь, набивающая мошну контрактами, кредитами и перспективами, боится только этого — почувствовать себя лишним, ощутить внутреннюю пустоту. Безумная круговая порука. «Рука руку моет», как раньше говорили. И все в этом, все в этом заколдованном круге, понимаешь?! — Маша чуть было не сорвалась на крик.

— Непроявленный Бог[10] взывает к людям, а они бредут во тьме по кругу... и им кажется, что голос, который они слышат, — лишь песня ветра...

— Ни хрена себе!!!

---

[10] Понятие, позаимствованное из работы Р. Штейнера «Мистерии древности и Христианство».

— Это не я сказал. Хотя, может быть, и я. Давно читал где-то — образ остался. Печальный и красивый...

— Ты забыл добавить, что заодно ещё очень похожий на правду, да?!

— Да.

— Да-а, — опять передразнила она меня. — На правду нельзя быть похожим. Она просто есть, а всё остальное — это как мы себя с ней соотносим. Не соотносись, но будь. А ты говоришь «сопротивляться»! Сопротивляться — значит отталкивать. И как ты, такой разумный, каковым себя считаешь, позволяешь себе такую роскошь — отталкивать что-либо в мире, почти совсем уже потерявшем «притяжение»?

— Я пытаюсь понять...

— Нельзя пытаться поднять стакан. Его можно либо поднять, либо нет!

— Софистика.

— Это как посмотреть.

— Упрекаешь меня в нерешительности?

— Ни в чём я тебя не упрекаю, — она вдруг резко сбавила тон. — Всё, что я говорила тут, в не меньшей степени касается и меня... и любого из нас. Будь он из нас, из них, из этих или из тех. Всё едино. Даже отрицание единства. К Шуту всё! Прости. Меня здорово выбило из колеи сегодня — ты должен понять. — Последние слова, прозвучавшие как просьба, странным эхом отозвались где-то в глубине меня.

— Маш, тебе не за что просить прощения. И... — я замялся на секунду. — Какое-то незнакомое ощущение шёпотом подсказывает мне изнутри, что понимаю я больше, чем могу подумать и сказать. Может, я и дурак, но поверь — я понимаю.

— Это как волна, правда? Её не выскажешь, хоть и ощущаешь. Не нарисуешь, хотя, кажется, — вот она — ты видишь её. Хочешь нарисовать. Но это необычное зрение. Значит, нужны и необычные карандаши, да?!

Всё-таки у меня, наверное, никогда не получится излагать свои мысли так просто и ясно, как получается у неё.

— А я не говорила тебе, что мою маму тоже звали Маша, нет? — нотки напряжения и нервозности исчезли из её голоса. — Она дала мне своё имя. СВОЁ, понимаешь? Мама была уверена, что имя обрастает личной судьбой, и, отдавая его мне, она надеялась, что все достоинства, накопленные ею, перейдут ко мне. О недостатках она не думала — она была гордой женщиной, и я могу её теперь понять. Это была единственная возможность исключить малодушие, ставшее столь свойственным людям. Она очень много разговаривала со мной и всё время напоминала, что то, о чём она говорит, — очень важно. Хотела привлечь больше моего внимания. Но я почти не помню, о чём мы разговаривали. Тогда мне казалось, что она просто пытается представлять меня взрослой. Что для неё это своего рода игра. Но однажды — я помню этот день — она сказала, что мы больше не будем разговаривать «о всякой ерунде», как она выразилась. Я была удивлена, но вздохнула с облегчением, потому что, честно говоря, мне далеко не всегда нравились её заумные речи. «К тому же она постоянно твердила: «Пока у тебя ещё есть время...» Видимо, как и ты, она была уверена в том, что с момента достижения возраста СНП человек становится интенсивно зависимым от Информационных Потоков. Мне же тогда больше хотелось другого. Поваляться с ней в постели, обнявшись. Рассказать последний дурацкий сон про то, как я заблудилась в Городе, который был совсем непохож на наш, потому что здания были такими маленькими, что всё время было видно небо и солнце. Мне хотелось, чтобы она не уходила на работу, а вместо этого рисовала бы со мной смешных маленьких человечков, летающих верхом на фантомасках. Она не разговаривала со мной о вещах, которые я не понимала, несколько дней. Или недель?.. Не помню. И даже перестала приговаривать про себя это вечное «пока у тебя ещё есть время...», как она обычно делала, расчёсывая меня по утрам. И однажды вечером, когда мы уже легли в кровать, она вдруг сказала: «Я знаю одну очень интересную историю. Мне её рассказывала в детстве моя мама — твоя бабушка. Если хочешь, я расскажу её тебе. Но она длинная, хоть и очень интересная». «А что это за история, мам?» — спросила я её тогда. «Это сказка». Я не любила дурацкие сказки, но она сказала, что это не обычная «развивающая сказка для деток-даунов». Так и сказала, представляешь?! А что это НАСТОЯЩАЯ сказка. И так она это произнесла, что в моём воображении тут же закопошилось что-то неясное, напоминающее то смешанное чувство, какое знакомо только детям, — испуг и любопытство одновременно. «И о чём эта сказка?» — спросила тогда я, не будучи ещё уверенной, что хочу услышать ответ. Мама пристально посмотрела на меня и говорит: «Нет. Не сегодня. Это очень длинная история, а ты устала, моя маленькая. В другой раз». На следующий день я с нетерпением ждала вечера и даже попросила её лечь спать пораньше в надежде, что сегодня мама расскажет свою сказку. Но всё повторилось. «В другой раз, малышка, сегодня мама очень устала». Мама всё сделала правильно, потому что она была не только гордой, но и умной женщиной, — и таким нехитрым способом она довела моё возбуждение до предела. И в тот вечер, когда моё любопытство уже должно было лопнуть от иглы обманутого ожидания, она наконец сказала: «Прости, я долго думала, стоит ли мне рассказывать ту историю, которую я тебе обещала. Дело в том, что бабушка поведала её мне, взяв слово никогда и никому не пересказывать. Но я всё же думаю, будь бабушка сейчас с нами — она бы разрешила поделиться с тобой нашим секретом. Я практически в этом уверена». Это был последний выстрел. Ещё больше меня могло заинтриговать разве что, если человечки из моих рисунков вдруг ожили бы и стали летать по комнате. А дальше мама поступила ещё более правильно. Она договорилась со мной о том, что будет рассказывать мне сказку небольшими частями, чтобы не утомлять ни себя, ни меня, ведь история была длинной. Какая же она всё-таки была у меня умница! Тем самым она превратила мою жизнь в сладкую череду предвкушений, оставляя при этом целый день на обдумывание и переживание уже услышанного. И в тот же вечер мама попросила пообещать, что я никогда и никому не буду рассказывать того, что услышу. Мы крепко обнялись и поцеловались, скрепив наш тайный договор, и она начала... Ты не устал? Тебе интересно послушать сказку? — спросила Маша и засмеялась.

— Боюсь, что я, как и ты тогда. Моё любопытство вот-вот лопнет.

— Ну, учитывая, что, лопнувший, ты уже ни на что не будешь годен, придётся мне продолжить...

— А как же тайный договор?

— Знаешь, — немного подумав, ответила она, — иная клятва даётся лишь для того, чтобы тот, кто клянётся, сам определил смысл чего-то важного внутри себя. Отвечу тебе мамиными словами. Будь она здесь с нами, она бы не возражала. Я практически в этом уверена.

— Но ты нарушишь преемственность поколений. История выйдет из семьи и может начать самостоятельную жизнь.

— Что-то мне подсказывает, что этого не произойдёт.

— Что ты имеешь в виду?

— А не найдётся ли у тебя чего-нибудь... — вдруг приподнявшись в кресле и подсунув лодыжку под колено другой ноги, сказала Маша — ...чего-нибудь, кроме сигарет?

— Кроме сигарет? — не понял я.

— Ну, не разочаровывай меня! Чтобы у такого ренегата-тугодума как ты не нашлось, чем бы угостить женщину?

— А-а... — насчёт тугодума, получалось, она была права.

Дело в том, что употребление естественных стимуляторов — в частности, алкоголя — допускалось только в публичных местах. Розничная торговля спиртным «навынос» была сначала ограничена, а потом и вовсе прикрыта ещё лет триста назад. Они тогда чего только не напридумывали под девизом «Открытость во всём!». Анонимность как факт была исключена из жизни. Впрочем, как я теперь догадываюсь, задачи у них были совсем другие. Посему как «факт» она, может быть, и ушла, но неприятные ощущения почему-то всё равно остались.

Суррогатные напитки, конечно, можно было найти всё на том же чёрном рынке. Но, во-первых, как и за всё, приобретённое там, приходилось расплачиваться услугами разного рода, обычно связанными с информацией, — последние наличные деньги-то помахали миру ручкой пять столетий тому как — это любой знает из курса всё той же их Естественной Истории. А во-вторых, «менялы» особо не утруждали себя борьбой за качество. Их, конечно, можно было понять, но всё же. Так что одно дело время от времени приобрести «паука» или ещё какой-нибудь полезный прибор, а другое — регулярно отовариваться. Эдак вся жизнь будет отработкой еженедельных, а у кого — и ежедневных доз.

Но мне в этом смысле повезло. Мой «меняла» — высокий угрюмый старик — сам был любителем «закрытого» употребления. «Не понимают они ничего в людских делах. В ихних бедламах рафинированно накачиваться, чтобы потом какое-нибудь пугало автоматическое тебя будило, — это одно. А у себя в номере, в тишине, «кондовенького» за «Всё про всё!» и за «Шут их подери!» — совсем другое дело», — частенько говаривал он, когда мы с ним под шумок принимали по глотку неплохо очищенной жидкости. «И что может быть лучше приятной беседы на закуску?!» Я по мере надобности с осторожностью делился с ним своими мыслями, старательно избегая слова «информация», от которого его начинало трясти. Странный был вообще старик. Больше всего интересовался, что новенького мне удавалось выкопать в файловой библиотеке о древней жизни, ибо я как аналитик статистического отдела всё же имел некоторые преимущества в доступе к подобного рода данным. Так что каждый раз, когда я слышал от него скрипучее «Чё новенькаго-то?», то уже не сомневался, о чём идёт речь.

В общем, наши «деловые» отношения можно было даже назвать приятными. Хотя, сойдясь с ним в хитросплетениях взаимных услуг чёрного рынка, я и не предполагал тогда, что всё это была хорошо продуманная система. И название у неё было, как и для всего у них, — СПК — Система Провокационного Контроля.

Только узнал я об этом позднее, обнаружив однажды в Транспочтовой камере своего номера ящик спиртного отличного качества и несколько листков бумаги, на которых корявым почерком кратко были изложены цели и стратегия СПК. То, что письмо было без обращения и без подписи, — это понятно, — всегда можно сослаться на ошибку Центрального Коммутатора. Но как старик смог отправить мне всё это по официальным каналам, я даже предположить не мог. До сих пор не понимаю. А сам старик исчез. От того запаса, что он прислал мне тогда, ещё оставалось пять литровых бутылей, так что я пока не озабочивался его пополнением. Вот что меня действительно расстроило, и расстраивает по сей день, так это то, что я даже имени его не знал. Старик и Старик. Впрочем, более тягостных ощущений в связи с его исчезновением у меня почему-то не возникало. Вместо этого на ум всё время приходила одна и та же фраза: «Меняю славу на вечность», которую он произносил к месту и не к месту. «Я же «меняла», — объяснил он мне как-то в начале нашего знакомства, — люди сразу должны это понимать».

— Давай выпьем сначала за Старика, — доставая литровую пластиковую ёмкость и наливая по глотку в стаканчики, сказал я. — Потому что если бы не он, то... — я задумался на мгновение. — То выпить нам сейчас точно было бы нечего.

— А кто этот старик?

— Старик?.. Старик — это грустный образ, растаявший среди прочих. Зато от него осталось наследство в виде нескольких бутылок отличного средства для «закрытого» употребления.

— Ну что ж... за печальный, но весьма практичный образ.

— Да уж... — и вспомнив, добавил тихо: — Славу на вечность... — Мы выпили.

— Что ты сказал? — спросила Маша, возвращая мне стаканчик.

— Я спросил, что ты там говорила о семье?

— О семье? Разве? — В её тоне замелькала так хорошо знакомая мне ирония. — Может, ты мне расскажешь?

— О «контрактниках»?

Дело в том, что «контрактниками» называли официально зарегистрированные супружеские пары. Происхождение термина очевидно из его собственного значения.

Периоды так называемых «матриархатов» и «патриархатов», циклично сменявших друг друга, канули в прошлое. Ещё остававшиеся на памяти человечества последствия демографического взрыва напрочь вытравили из истории и даже из мифологии сказания о последних романтиках. Методология разумно довершила «естественный» ход событий — о продолжении рода и совместном временном существовании с каких-то пор стало проще договориться. На первое место в институте брака вышел Контракт. Пока всё устаканивалось, мнения и пожелания сторон ещё как-то принимались в расчёт. Но потом, как обычно, была найдена универсальная форма, учитывающая все мыслимые и немыслимые ситуации, удовлетворяющая любые запросы. УБК — Универсальный Брачный Контракт. Срок действия которого ограничивался возрастом СНП отпрыска. Отдельно, конечно, оговаривались ситуации, когда пара желала завести второго ребёнка. Но о таких случаях сообщали, как о сенсационных, потому что пойти на это могли только известные, то есть очень богатые люди. И на первого ребёнка лицензия стоила немало. Обычным людям, желающим обзавестись вторым, пришлось бы заложить имущество, себя, и всех своих родственников, включая первого ребёнка. Так Закон боролся с последствиями демографического взрыва, чуть не погубившего на Земле всё живое. Да, к слову сказать, вообще мало кто заводил детей. С какого-то момента появилась мода на так называемые «свободные пары». Для таких в Закон внесли поправку, снизив срок Контракта до условных трёх лет. С точки зрения Методологии — оптимальное время для удовлетворения всех сексуальных притязаний партнёров друг к другу. И всё чаще ходили слухи, что они готовятся внести изменения, уменьшающие этот срок до полутора лет.

— Ну, если семья в твоём представлении — это Контракт, то давай о нём.

— Мне понятен твой сарказм.

— Если бы он был тебе непонятен, меня бы здесь и не было. Такая мысль тебе в голову не приходила?

— Приходила... похожая.

— Если два разнополых ренегата оказываются в одно время в одном месте — это значит, что они встретились для чего-то большего, чем просто сказать друг другу «Здрасьте!», тебе так не кажется? Или ты считаешь, как и все, что между мужчиной и женщиной нет и не может быть ничего, кроме рассчитанной ответственности перед человечеством за лимитированное продолжение рода и совместного бюджета на срок, определённый Законом?

— Никогда я так не считал.

— «Никогда» — слишком вызывающее слово.

— Слово как слово. Ты просто придираешься.

— А тебе было бы больше по нутру, если бы я напоминала мирно жующую... ой, прости, пьющую корову, которых никто из нас в глаза не видел, кроме как на ярлыках полуфабрикатов еды?

— Я этого не говорил.

— Как ты думаешь, есть ещё где-нибудь настоящие живые коровы?

— Понятия не имею.

— Но ведь они были?

— Ну разумеется.

— Разумеется — для тех, у кого разум имеется! Ладно. Не обижайся. Не в коровах дело, а в том... — Маша запнулась, как бы остановив сама себя. — А в том, чтобы выпить ещё по стаканчику твоей волшебной эссенции.

— Разумеется, — слегка передразнивая, но с улыбкой, сказал я и потянулся за бутылью.

— На самом деле мне очень хочется, чтобы ты услышал мамину историю. Она рассказывала её долго. Иногда возвращаясь к каким-то деталям, если я просила, иногда перемежая с воспоминаниями о своих собственных детских ощущениях. Часто отвлекалась. Кое-что я даже спустя несколько лет записала по памяти... — Маша замолчала, задумавшись.

Я подал ей стаканчик — и мы выпили в тишине.

— Жаль, что я не могу повторить тебе всё слово в слово, чтобы ты понял, что я чувствовала тогда каждый вечер, лёжа с мамой под одеялом.

— Я пойму.

— Хорошо. — Она закурила. — Тогда слушай. Я расскажу всё, что помню...

Рассказ первый

«В далёкие-далёкие времена стоял на Земле Город. В том Городе жила девушка. И звали её Маша... Точно как тебя и меня. Не знаю, почему уж так вышло, но это не важно. Она была немного старше тебя и немного младше меня, но такая же красавица и умница, как мы с тобой.

И было так, что Город, в котором жила Маша, не занимал всю Землю, как сейчас, а лишь небольшую её часть. И если бы кто-нибудь решил не останавливаясь пойти пешком, то обязательно добрался бы до места, где Город заканчивался. А если бы он решил идти дальше, то дошёл бы до места, где начинался другой Город... Если бы... Если бы...

Да, да. Давным-давно, в стародавние времена, стояли на Земле недалеко друг от друга два Города.

Не удивляйся, просто это действительно было очень давно. А в те далёкие времена многое было не так, как сейчас. Людей было поменьше. Дома были пониже. Солнце светило ярче, и маленьким девочкам, таким, как ты, было веселее. В общем, прекрасная могла бы быть жизнь у людей, если бы не одно обстоятельство — в Городе, где жила Маша, всё время дул сильный ветер. Дул, никогда не утихая, ни днём ни ночью. И что самое поразительное — никогда ветер не менял своего направления: всегда дул с севера на юг.

И в другом Городе, в который можно было попасть, если идти целый день и целую ночь, и ещё день и ещё ночь, тоже не переставая дул сильный ветер. Маша хоть и не была ни разу в том, другом Городе, но слышала от других, что и там людям негде спрятаться от вечного проникающего беспокойства ветра, который тоже никогда не утихал и никогда не менял своего направления. Только дул он в противоположную — с юга на север — сторону. И сколько люди помнили себя и знали свою историю — так было всегда.

Никто не мог объяснить, почему так происходит. Маше и всем остальным приходилось всю свою жизнь подстраивать под это необъяснимое явление природы. И как ты уже, наверное, догадываешься, главное, о чём им приходилось постоянно беспокоиться, переходя из одного места в другое, — это как избегать направлений, при которых ветер дул прямо в лицо. Потому что это неприятно, когда, куда бы ты ни шёл, тебе в лицо постоянно дует сильный ветер. Даже целая наука существовала, занимавшаяся расчётами «Оптимальных траекторий движения тел в условиях постоянно действующей силы». Маша как раз и работала в одном из отделов подобного научно-исследовательского центра.

Там же работал и Машин сосед, живший с ней в одном доме, в соседней по этажу квартире — так раньше назывались номера. Его звали Математик, и он был её другом. Правда, у него был ещё друг в другом Городе, которого звали Философ. У Маши, кроме Математика, друзей не было. И в другом Городе она никого не знала. А о том, что там происходило, ей рассказывал Математик, которому, в свою очередь, рассказывал всё Философ...

Дело было в том, что люди, жившие в двух соседних Городах, говорили на одном языке, знали о существовании друг друга, многие были знакомы, но общаться они могли только по «телефону».

Надо сказать, что в те времена не было таких, как сейчас, универсальных систем коммуникаций — нельзя было не только передавать разные вещи на любые расстояния мгновенно, но даже видеть друг друга, если вдруг соскучился. Тогда ещё не придумали, как это делать. Можно было только услышать человека, находящегося далеко от тебя. Для этого и существовал «телефон» — прибор, без которого не обходился практически ни один человек. Каждый такой прибор имел свой номер и был соединён с «телефонами» других людей специальными проводами. «Телефоны» стояли везде — где люди жили, работали, и даже в тех местах, где они предположительно могли оказаться. Бесконечные провода опутывали Города и соединяли их друг с другом. Этот способ связи существовал так давно, что никто уже даже не помнил, кто его придумал и осуществил. Сами приборы совершенствовались, обновлялись, их делали более удобными и красивыми, а старые линии проводов, как древние подземные реки, несли во все уголки Земли горести и радости её жителей...

Так вот, как я уже говорила, жители обоих Городов могли разговаривать, делиться новостями, мыслями, но встретиться друг с другом у них не получалось. Существовал некий природный феномен, который современ-

ная наука того времени окрестила «Порочным кругом». Каждый, кто не только пытался добраться из своего Города до другого, но даже просто передвигался по собственным улицам, незаметно для себя и окружающих начинал двигаться по кругу. И если для жителей одного Города это было не так страшно, ибо они всегда, так или иначе, возвращались в свои дома, находя новые пути в лабиринтах дворов и переулков, то в случае, если кто-либо хотел попасть из одного Города в другой, — ситуация резко менялась. Как будто существовал некий невидимый барьер, разделявший жителей двух Городов. Тот, кто стремился преодолеть его, шёл в правильном направлении, рассчитывал свои силы, но... когда уже казалось, что трудности позади, цель близка и окраина соседнего Города явно просматривается в рассветной дымке, выяснялось, что человек вернулся назад — в свой Город...

И то ли память людей была недостаточно хороша, то ли воображение недостаточно развито, только они и представить себе не могли времена, когда всё было иначе. Но именно оттуда, из ещё более далёкого прошлого, о котором даже говорить сейчас трудно, таким неясным и непонятным оно кажется, именно оттуда и пришла легенда о Стене. О Стене, древней как сам Мир...»

— На этом месте мамин рассказ прервался. Это был первый из долгой череды таких вечеров, и поэтому я хорошо его помню до сих пор. Я долго не могла заснуть и всё думала: «Если в мире бывают такие чудеса, то о чём тогда может рассказать древняя легенда?! Такая древняя, что при одном взгляде на неё можно моментально состариться и умереть...» Вот такая я была чувствительная девочка. Тебе смешно?

— Нисколько. Тем более что ты, похоже, такой и осталась. — Маша внимательно посмотрела на меня, но промолчала.

— Давай-ка ещё по глоточку, — предложил я, немного смутившись от незнакомого доселе чувства. Я плеснул в стаканчики, и мы выпили.

— Странный какой-то выходит сюжет у этой истории, — сказал я через минуту. — Ты не находишь? Некоторую схожесть: стена — это барьер, барьер — это порог, порог — это...

— Если ты сейчас углубишься в рассуждения, — перебила меня Маша — то, зная твою любовь к созерцательному типу размышлений, можно предположить, что конец истории тебе придётся дослушивать уже дряхлым стариком.

— А ты? — Мне не удалось избежать ответной иронии.

— Я?! Ах ты, мерзавец! Разве ты не знаешь, что я буду вечно молодой! — Надо признать, ей удалось отвлечь меня от навязчивого желания порассуждать на тему совпадений. Я готов был слушать дальше.

Рассказ второй

— Так вот... Что хотела сказать принцесса? Принцесса хотела сказать, что её нисколечко не затруднит продолжить свой рассказ, если вредный дряхлый старикашка готов продолжить просто слушать. — Маша вопросительно посмотрела на меня.

— Старикашка готов.

— Вот и славно. Кстати, ты ничего не сказал по поводу «принцессы»! Ладно, я прощаю тебя. Просто так меня называла мама, когда хотела сказать что-то особенно важное. Она пыталась объяснить мне сначала, кто такие эти принцессы, но я не совсем понимала. Хотя кое-что, как мне теперь кажется, улавливала... — на секунду она задумалась. — Как ты считаешь, я Принцесса?

— Без сомнения.

— Значит, ты знаешь, кто они такие?

— Боюсь, что так же, как и ты, — на уровне ощущений. Но они подсказывают мне сейчас, что принцессы должны были быть в точности такие, как ты.

— Я всегда это знала! — В полумраке мне показалось, что Машино лицо засветилось. — Ведь совсем не главное знать что-то досконально, правда? Иногда можно просто довериться внутреннему чувству... Ладно, потом. А то я собьюсь... В общем, следующий день я провела, выдумывая истории одна страшней другой. Как я уже говорила, одно слово «древность» в моих фантазиях к вечеру превратилось во что-то совершенно недоступное моему разуму. Так что если мама по каким-то причинам не смогла бы рассказывать мне свою историю дальше, то я наверняка сошла бы с ума. Но ничего не приключилось, и вечером, свернувшись калачиком под одним с ней одеялом и закрыв глаза, я приготовилась слушать продолжение.

Странное, гипнотическое воздействие произвели на меня слова, с которых мама начала свой рассказ в тот вечер:

«"...никто и ничто, два из одного; не достигнет другого; будет вечною стена; но будет познана слабостью; и всё станет вновь; и змея проглотит свой хвост; и будет..." — гласило древнее пророчество, оставленное человеком, чья судьба осталась неизвестна.

Говорят, когда-то в одном из Городов была найдена книга, все поля которой были исписаны подобного рода текстами. А вместо подписи внизу каждой страницы, рядом с её номером, стояло: «Откровения Шута Горохового». Упоминание о Стене в одном из текстов заставило нашедших эту книгу людей более внимательно отнестись к записям. Все они были переписаны, истолкованы, но главным пророчеством всегда считалось именно это.

Правда, что означало словосочетание «шут гороховый», досконально истолковать так и не удалось. Поэтому со временем все стали говорить просто: «Пророчество Шута».

В трактовке современности смысл этого странного текста был переведён толкователями так: «Никто из жителей одного из двух Городов не достигнет другого. И пока будет Ветер — будет существовать и Стена. Пока слабые, но упорные усилия людей не приведут к познанию её природы. Так было и будет всегда, пока Спираль Вечности цикл за циклом поглощает саму себя».

Знай — всегда есть люди, склонные больше доверять древним легендам и пророчествам, нежели современной науке. Они и настаивали на том, что необходимо постижение Стены как философской категории. Как нематериальной сущности, оказывающей влияние на человеческие чувства — создавая иллюзии у людей, пытающихся преодолеть её. В результате чего человек, ведомый ложными представлениями, просто плутал, пропадая навсегда, или возвращался, влекомый инстинктом самосохранения, к исходной точке своего путешествия, то есть в СВОЙ Город. И так получилось, что в том Городе, где жил Философ — друг Математика, таких было большинство. И как-то так повелось издавна, между собой, сначала в шутку, а потом по привычке, люди называли его «Городом философов».

Философы считали науку кладбищем гипотез и утверждали, что Ветер влияет не только на физическую составляющую жизни людей, но и на ход их мыслей и чувств, в которых тоже наблюдались циклические процессы. И обыкновенные жители привыкли думать, что коварный Ветер — это Рок, а Стена — напоминание людям о пределах их возможностей.

А вот в Городе, где жила Маша и её друг Математик, большинство было уверено в том, что основная проблема — это невозможность произвести безупречные расчёты. Рождались всё новые теории о механике движения тел, производились бесконечные вычисления возможных траекторий, выдвигались гипотезы о завихре-

ниях пространства, о «чёрных дырах» в материи и тому подобные. Так что нет ничего удивительного в том, что этот Город в народе именовали «Городом математиков». Его жители пребывали в уверенности, что рано или поздно удастся найти единственно безупречный действенный алгоритм, способный преодолеть Стену.

На фоне непрекращающихся споров — о них Маша могла судить по телефонным разговорам между Математиком и Философом, потому как их содержание было ей известно со слов её друга, — жители обоих Городов ежедневно страдали от последствий навязанного им природой явления. Существовали два основных правила, естественным образом сформировавшиеся из многовекового опыта, и их знание несколько облегчало людям жизнь. Первое: «ИДТИ ПРОТИВ ВЕТРА НЕВОЗМОЖНО! Ибо НИКОГДА не попадёшь ТУДА, куда ХОЧЕШЬ попасть!» И второе: «Куда бы ты ни пошёл, если идти достаточно долго — рано или поздно обязательно коснёшься Стены». Нарушение первого правила влекло за собой отказ от здравого смысла, что само по себе было неприемлемо. Нарушение второго — граничило с самой смертью. Эти продиктованные опытом борьбы законы так цепко укоренились в мыслях и жизни людей, что никому даже в голову не приходило идти на риск, чтобы проверить их достоверность на собственной шкуре. Да и «телефонная» связь давала людям возможность не чувствовать себя забытыми и разделёнными.

Не говоря уже о том, что всегда существовали пугающие слухи и всякие истории о тех, кто пытался пойти наперекор. Впрочем, весьма противоречивые.

Одни говорили, что те, кто отваживался на такое, уже никогда не возвращались обратно. Другие — что слышали от своих знакомых про людей, вернувшихся из такого путешествия. И что эти люди, с их слов, явно были, что называется, «не в себе» и заканчивали жизнь где-то на задворках, потеряв ощущение реальности.

Слабость и Рок — называла мама эти правила»...

— Я вижу, мама действительно не баловала тебя «развивающими сказками», — сказал я после того, как заметил, что мы уже пару минут сидим в тишине.

— Да уж... — не сразу ответила Маша. — Она баловала меня лучшим, чем может баловать один близкий человек другого, — собой. Настоящим собой! Такое может позволить себе только тот, кто любит.

Ещё с минуту мы курили, не произнося ни слова.

— Не забывай, — прервала молчание Маша, — то, что ты сейчас слышишь, мама рассказывала мне... не скажу, сколько лет назад. Сейчас я продемонстрирую тебе возможности своей памяти. Впрочем, в этом я вся в неё!

Рассказ третий

«Ярким примером принципиальных споров вокруг Стены может послужить отрывок из телефонной дискуссии между Философом и Математиком. Последний

часто записывал их разговоры на специальное устройство и потом прослушивал ещё по нескольку раз, чтобы лучше понять, в чём были сильные и слабые стороны его доводов.

Обычно Маше приходилось по старой дружбе часами выслушивать его комментарии, после перепалок с Философом насыщенные язвительностью и чрезмерным самомнением. Но в тот раз Математик принёс ей запись их последней беседы вовсе не за тем, чтобы развлечь её, — просто у него сломалось устройство для прослушивания.

— Ты опять много куришь! Что за дурацкая привычка! — прямо с порога, почувствовав запах табачного дыма, брякнул он. «Как обычно — ни «привет!», ни «как дела?», — подумала Маша.

— У каждого свой способ заполнять паузы, — вместо этого ответила она равнодушно. — Любой дурак знает, что физиологической зависимости сигареты не вызывают.

— Да, но они наносят вред здоровью!

— Самая вредная привычка из всех, что я знаю, — это привычка жить.

— Твой разум стремится всё усложнить. В то время как ты сама, из духа противоречия, стараешься всё упростить: либо веришь во всё, либо во всём сомневаешься. Это очень типично для женского восприятия — именно такие позиции освобождают тебя от необходимости действительно мыслить...

К слову сказать, Маша, разделяла мнение, что люди делятся на две половины. Одни, войдя в комнату, восклицают: «О, кого я вижу!», другие: «А вот и я!» И по её глубокому убеждению, Математик относился к последним. «Несовершенство — вот что нам нравится в наших друзьях», — медленно произнесла она про себя — и не стала отвечать.

— Можно я прослушаю у тебя запись? А то у меня что-то аппарат барахлит...

— Сказал бы сразу, что тебе нужно, а не приставал бы с нравоучениями. Конечно, пожалуйста... — «Зашёл бы ты, если бы у тебя не было какого-нибудь дела, как же!»

— Отлично! — он сразу направился в комнату и включил запись:

(Математик) — «...и Змея проглотит свой хвост...» Вращающееся кольцо. Не гипотетическое вращающееся кольцо, не витиеватая метафора, которые вы, философы, так любите, а вполне материальное кольцо, падающее в поле тяготения, не важно кого или чего — человека, планеты, пылинки или города... Вращающееся кольцо попадает в поле тяготения вдоль оси притяжения объекта и... начинает, разумеется, вращаться вокруг этой оси. В данном случае — вокруг оси города. Например, вашего Города... или нашего... Иначе просто не будет выполняться закон сохранения энергии.

А этот закон — догмат! «...сила будет...» Будет. Есть. Сохранится!

(Философ) — Не-ет. «...и Змея проглотит свой хвост...» — это закон диалектики. Развитие по спирали. Мир, вселенная, города, кольца, люди, пылинки — развиваются... Развиваются. Совершенствуются. И если давным-давно даны «Математические начала натуральной философии»[11]*, то, видно, давным-давно же назрела необходимость натурально-философского анализа математических начал. С философской точки зрения, в вашем Городе преобладает стихия Вражды — северный ветер. В нашем Городе — стихия Любви. Южный. Преобладание одной или другой стихии приводит к циклическому ходу мирового процесса. Не даёт пружине — той самой спирали — сорваться, мгновенно развернуться, разорваться. Таким образом спасая саму возможность жизни. «...и Змея проглотит свой хвост...» В этой своеобразной причудливой асимметрии и заключена гармония. Нарушь мы её, предположи мы гипотетически, что некими путями можно прийти к симметрии, — и наш мир рухнет*[12]*. Именно поэтому мы не можем добраться друг до друга. Мы ходим по*

[11] Трёхтомный труд Исаака Ньютона, 1687 г.

[12] «Вселенная – сфера, воплощение гармонии и покоя. Сферос – огромный однородный шар, порождение двух противоположных стихий Любви и Вражды. Первая стихия соединяет, вторая разъединяет. Их гармония – симметрия – приводит к устойчивому равновесию мира – Сфероса. Преобладание одной или другой стихии – асимметрия – приводит к циклическому ходу мирового процесса». Философ Эмпедокл из Аргигента (остров Сицилия, IV век до нашей эры). Я намеренно извратила его утверждение.

кругу... По кругам, которые являются одним бесконечным, вечно движущимся...

(М) — Бред, который я сейчас слышу, лишь подтверждает мои гипотезы. Известно, что вращение традиционно понимается как нечто вторичное, приводимое к поступательному движению точки по окружности. То есть сводится к некоей покоящейся системе отсчёта. И иногда угловая скорость — это необходимая условная константа, и без неё не обойтись в расчётах. В условных же расчётах. На самом же деле вращение необходимо определять только по отношению к вращению! Вращательное движение фундаментально. Оно — нерушимая основа мироздания. Заданные стихией вращения наших городов не позволяют нам выйти за их пределы, иначе... Мне даже страшно говорить, что иначе... Иначе. Представь себе, что будет, если, скажем, начнётся цепная реакция превращения вращательной энергии частиц в энергию электромагнитного излучения. Особенно учитывая обстоятельство, что вращения всех материальных частиц внутри наших городов скоординированы, масштабность такой реакции будет воистину ужасающа! Именно поэтому «...будет вечною стена...» Дабы уберечь нас!

(Ф) — Ты считаешь, что Стена, указанная в пророчестве, существует как сущность?

(М) — Безусловно! Она материальна! Стена — это не метафора. Мне порой кажется, что ваша патологическая тяга усматривать во всём смысл сакральный лишает вас элементарного здравого смысла. Иногда, мой друг, банан — это просто банан, а Стена — стена!

(Ф) — И ты даже знаешь, из какого рода природного или синтетического материала она сделана? И, может быть, даже знаешь кем?

(М) — Я бы на твоём месте не ехидничал, а понял, что она существует, ибо её существование — как математического объекта — доказано!

(Ф) — «Математический объект», говоришь... Х-м... Стена — это некое пространство! Пространство лишь условно относят к сфере материального. Попытаюсь объяснить на доступном для твоего понимания языке. Описать, так сказать, пространство в его натуральной сущности. Как философская категория, пространство — это природная субстанция, изначально обладающая естественным свойством разъединения, распада, разделения, расширения, волнообразности, отталкивания, распространения, дифференциации, антигравитации... Продолжишь сам... Я напомню тебе, что чем больше слов и терминов существует для описания, тем менее сущностна сущность! Философский каламбур!

(М) — Стена — это стена! Я уж не знаю, насколько там сущностна сущность или несущностна несущность. Но стена — это материя. Она имеет плотность, объём, теплопроводность. И обладает свойствами своих субстанций. Даже если предположить несущностность, как ты изволишь выражаться, Стены — она всё равно субстанция! На уровне, скажем, квантовой физики. Хорошо, если тебе угодно, стена не корпускула. Она — волна! Но от этого она не становится менее материальной. У неё есть обобщающая формула мас-

сы, которая, да будет тебе известно, является количественной характеристикой любых материальных объектов — как результат взаимодействия пространства со временем[13].

(Ф) — Меня поражает твоя косность. Твоё упорство в попытках свести всё к мёртвой материи, будь то Стена, Ветер, кусок колбасы или сам Господь Бог. Есть Ветер, который мы ощущаем... Он определяет особенности нашего существования... Его ты осязаешь... Ему ты подчинён... Именно ветер «кормит» тебя материальной пищей и даёт тебе возможность материальных зрелищ, ибо вся твоя такая материальная жизнь посвящена созданию материальных алгоритмов, выраженных тобою в закорючках условных значков, условности же описывающих, но благодаря этим условностям возможно реальное существование. И есть некая Стена. О ней нам всем известно с детства. Но только из слов пророчества. Ни ты, ни я никогда её не видели и не осязали. Но ты с упорством остолопа считаешь её некоей материей. Кучкой атомов... Комбинацией, которую тебе необходимо вычислить. Ты считаешь стену материальной, сущностной, потому что она «обнаруживает своё непрерывное вли-

---

[13] Математик жонглирует тензорным уравнением А. Эйнштейна. Уравнения гравитационного поля в общей теории относительности, связывающие между собой метрику искривлённого пространства-времени со свойствами заполняющей его материи. Термин используется и в единственном числе: «уравнение Эйнштейна», так как в тензорной записи это одно уравнение, хотя в компонентах представляет собой систему уравнений... Непонятно? Вот и Философу наверняка уже тошно.

яние на тела по известным тебе законам. Но материален этот агент или нет?»[14] *Хотя... Если вспомнить закон диалектики о единстве и борьбе противоположностей... Х-м... В этом случае — одна противоположность победила. Стена нематериальна. Несущностна. Как несущностен Бог. И несущностен Ветер. Но и материальное и нематериальное оказывает на нас одинаковое влияние. Поэтому — не всё ли равно, ЧТО есть Стена? Важно лишь то, что «...будет вечною...»*

(М) — Так мы никогда не достигнем консенсуса!

(Ф) — Консенсус — это когда все соглашаются с тем, что каждый в отдельности считает ошибочным...

(М) — Я не буду спорить — это мудро. Но что нам это даёт?..

(Ф) — Ещё одну попытку.

(М) — Для чего?

(Ф) — Найти верное описание...

(М) — Но жизнь — это не способ описания. Это способ действия. И чем лучше это действие рассчитано, тем оно эффективнее...

— Ты ещё не устал от этих бесконечных бесплодных споров? — спросила Маша сразу после того, как Математик выключил устройство прослушивания.

— О чём ты? — удивился он.

---

[14] Отрывок из третьего письма Исаака Ньютона к Ричарду Бентли от 25 февраля 1692 года.

— Вы гадаете о сущности Стены, вычисляете параметры «Порочного круга», но это невозможно, пока вы сами ему подвержены. Для вас — выйти из него невозможно, пока не будет найдено know-how. А найти вы его не можете, потому что никаким количеством экспериментов и расчётов нельзя доказать теорию. Но достаточно одного, чтобы её опровергнуть. Печально, но это факт — вы создали себе в голове свой маленький «порочный круг», а пытаетесь решить проблему мирового масштаба. Печально и смешно...

— Ты не понимаешь...

— Да, я не понимаю! — перебила Маша. — И что тебя особенно должно расстроить — и не собираюсь этого делать. Моё личное know-how состоит в том, чтобы не иметь никакого. Так я, по крайней мере, не буду плодить эффект «порочного круга», засоряя им ещё и свою голову...

— Слушай, когда ты, наконец, найдёшь себе когонибудь?!

— Если бы это было так просто...

— Поверить не могу! Ты же сама говорила: «Для умной женщины мужчины — не проблема; для умной женщины мужчины — решение».

— Я устала от таких решений... Прости, ты у нас, конечно, знаток тайн человеческой психики — особенно женской, но сегодня я точно в квалифицированной помощи не нуждаюсь! Так что, если тебе больше ничего не нужно...

— Ладно, я не обижаюсь. Зайду, когда ты будешь в хорошем расположении духа. Пока...

«Он не обижается... надо же! Когда мне самой станет известно РАСПОЛОЖЕНИЕ МОЕГО ДУХА, моему ТЕЛУ, надеюсь, уже не потребуется, чтобы к нему КТО-НИБУДЬ КОГДА-НИБУДЬ заходил!» — подумала Маша, со злостью захлопывая за Математиком дверь...»

Рассказ четвёртый

«Однажды случилось то, о чём Маша уже давно мечтала — найти себе в другом Городе друга. Того, с кем она могла бы разговаривать, когда и о чём ей захочется, рассказывать ему о своих мыслях и переживаниях, не обременяя ни себя, ни его размышлениями о целесообразности взаимоотношений, ведь невозможность встречи снимала все те недоразумения, что так свойственны жизни в замкнутом пространстве ТВОЕГО Города. Это одна сторона медали. А вторая — человек вообще так устроен — нужное кажется ему настолько важным, что оно по определению не может лежать где-то рядом, на виду, а должно прятаться от него за горизонтом досягаемости.

Сказать по правде, Маше просто хотелось, чтобы в её жизни появился кто-то... Она сама не могла понять кто. Такое впечатление, что Ветер, если верить Философу, действительно оказывал какое-то магическое действие на её мысли и чувства. Эфемерность окружающего мира порой ощущалась так остро, что сдавалось — начинаешь глазами видеть круги, по которым ходишь сам, и люди вокруг тебя...

Математик был хорошим, умным. Настоящий, надёжный друг, но...

Когда-то они полагали, что больше чем друзья. И даже достаточно долго прожили вместе. Достаточно долго для того, чтобы... В общем, когда людям кажется, что они вполне счастливы, они незаметно начинают любить меньше и заканчивают тем, что отдаляются друг от друга. Его всё устраивало, но ей хотелось чего-то большего, чего-то, что не поддавалось чётким формулировкам. А если и поддавалось, то выглядело так спонтанно, что потом, перечитывая собственные короткие мысли и заметки, она удивлялась отсутствию в них даже видимой последовательности. Ну, например, в один день она могла записать в своём блокноте, скучая без дела на работе:

«Если ты не делаешь ничего «не такого», то тебя и не ждёт ничто «не такое»...»

Он не понимал. Не мог или не хотел? Для него это было за рамками здравого смысла. А у неё что-то трепетало в душе — и никак не хотело подстраиваться под устойчивый с виду алгоритм жизни. Нельзя сказать, что они расстались. Просто перестали быть друг с другом. Это произошло как-то исподволь, как и всё в этом Городе. И, замкнув очередной круг, они остались теми, кем и были на самом деле друг для друга, — друзьями.

С тех пор у Маши случилась пара-тройка увлечений, но... как она сама записала в том же блокноте:

«Отношения хороши тем, что некоторое время позволяют не думать об отсутствии любви. Но... только некоторое время».

Единственное, чего она никак не могла понять, почему все без конца твердили ей об этом самом здравом смысле. «Почему они всегда утверждают, что только здравый смысл позволит сохранить мне целостность и сделает жизнь счастливой? Видимо, лучше всего у людей получается учить тому, чему им самим ещё надо учиться. Помнить о том, что вода мокрая, а курить вредно — вот и весь их здравый смысл, при внимательном рассмотрении. Если это единственное, на что может реально опереться человек, то почему этого не хватает чтобы изменить то, что необходимо изменить?» Так она думала, делая очередную запись в блокноте:

«Здравый смысл — это багаж стереотипов, приобретаемых к определённому возрасту. В нас всех с детства вдолбили «истину» о том, что есть вещи совершенно невозможные. Но всегда находится тот, кто во время уроков смотрел в окно и не слушал. Он единственный свободен творить чудеса».

Один раз ей даже показалось, что она наконец влюбилась, но... объект влюблённости ушёл из её жизни так же, как и пришёл — внезапно, случайно, низачем. Сломал привычный распорядок, поселил в стенах запах, сначала такой близкий и желанный, а потом агрессивный и чужой. Ушёл, оставив пустоту и единственное желание — уже договориться с кем-то. Это желание, впрочем, растаяло через какое-то время в её детской душе, как дымка.

А через некоторое время на последней странице блокнота, исписанного по этому поводу признаниями, страстью, болью и пеплом её души, появилась строчка:

«В книгах пишут о безумной любви, а в реальности торжествует истерика...»

Но однажды случилось то, что не оставило камня на камне от её предыдущей жизни, стерев за короткий срок из сердца и мыслей не только все воспоминания о деталях, но даже веру в то, что это действительно была ЕЁ жизнь...»

Рассказ пятый

«В тот день, придя с работы, Маша вдруг, ни с того ни с сего, что было для неё характерно, решила приготовить себе ужин. Надо сказать, что обычно она очень редко ела дома — не любила долго находиться одна. Знаешь, иногда общество других людей нужно не потому, что ты не можешь без него обходиться, а потому, что не хочешь, чтобы твои собственные мысли долго оставались наедине с тобой.

Но сегодня она ещё с середины дня вознамерилась вкусно пострадать, позволив тем самым мыслям терзать её, как им заблагорассудится. А для этого была необходима обстановка, призванная поддержать и усугубить это состояние.

Так что, смешав водку с вермутом один к одному — для воодушевления, Маша принялась за изготовление салата. А когда тот был готов, она присела перекурить, вновь наполнив опустевший стакан. Незатейливые действия всегда вызывали у неё в душе ощущение комфорта. Вот и сейчас, закурив, Маша попыталась представить, как она поджарит немного мяса, но картинка почему-то не принесла ей должного удовольствия. Тогда она решила ограничиться консервированным эквивалентом. Сотворять из еды культ не было в её правилах. Да и не в еде как таковой было дело.

Докурив, Маша достала банку и консервный нож. «Как они управляются с этими железяками?» — думала она, имея в виду мужчин. Тем всегда было проще вскрыть десять таких банок, чем помыть одну тарелку. Видимо, даже в этом они находили клочки чувства собственного достоинства — читай «превосходства». «Никак не могу запомнить, какой частью надо прикладывать, а на что нажимать?» Она сильно надавила на рукоять, но... вместо того чтобы проткнуть тонкую крышку, нож вывернулся из-под руки и полоснул по указательному пальцу...

На глазах у Маши тут же выступили слёзы. Не от боли, нет. А от безумной жалости к себе вперемешку со злостью. «Конечно! Размечталась! Ты банку-то открыть не можешь! — яростно шипя, утирая рукавом глаза и облизывая окровавленный палец, думала Маша. — Вот останешься одна на планете с этой железякой и вагоном консервов — и сдохнешь от голода! Живут же другие как-то одни и не чувствуют себя ущербными! А я как дура последняя! Не могу больше! Не могу!»

Допив одним глотком всё, что оставалось в стакане, Маша смела со стола банку и нож. Те с грохотом отлетели куда-то в угол. Зашвырнув тарелку с салатом в холодильник и так хлопнув дверцей, что та чуть не отлетела, она пошла к телефону. Позвонить знакомым и напроситься на посиделки — вот единственное, что могло спасти ситуацию.

Кровь продолжала идти, и Маша, попеременно меняя руки, чтобы не запачкать аппарат, набрала по памяти номер...

— Олег, Олег! — чуть не закричала она, услышав характерный щелчок соединения.

— Это не Олег. Но если я могу вам чем-то помочь, и вы позволите... — незнакомый голос.

— Извините, я, наверное, не туда попала, — она уже была готова отправить телефон вслед за консервной банкой.

— Как знать.

— Что вы имеете в виду?..

Если разговор с незнакомцем продолжается больше нескольких секунд, бросить трубку уже не кажется естественным.

— То, что обычно в трудных ситуациях мы звоним тем, на кого можем рассчитывать, правильно?

— В общем, да, — ответила Маша нерешительно.

— И, как правило, потом выясняется, что рассчитывали мы совсем не на то, что они смогли бы или были готовы нам дать, да?

— Ну-у...

— Да или нет?

— Наверное, да.

— Опустим «наверное».

Непонятно почему, голос незнакомца начинал завораживать.

— Вы позвонили, но не рассчитывали на то, что это буду я. Так возможно, я и есть тот, кто сможет дать то, что вам сейчас действительно необходимо? Вам очень плохо сейчас? — Прямолинейный откровенный вопрос застал Машу врасплох. — Можете не отвечать. Если вместо «таблетки» в виде бывшего любовника, друга «по вызову», коллеги или ещё кого-нибудь в этом роде вам вдруг подворачивается совершенно незнакомый человек, с первых же слов проявляющий к вам интерес, значит, вам не просто плохо. Значит, вам очень плохо и, видимо, уже давно. Иначе бы зачем судьбе выделывать с вами такой фортель? — незнакомец сделал небольшую паузу. — Так что сделайте милость, прежде чем положить трубку, — скажите мне номер вашего телефона. Я обязательно позвоню вам завтра. Моя фамилия — Горохов. И я живу в Городе... впрочем, если моё чутьё меня не подводит — я живу в ДРУГОМ Городе. И... — могло показаться,

что он смутился на мгновение. — Не пейте сегодня больше.

— Откуда вы знаете, что...

— Я волшебник, — весело ответил он, перебивая. — И если вам всё ещё есть, чем говорить, то я уже приготовил, чем записывать. Детская память, знаете ли: отвлекусь — и пиши пропало. Вот и пишу, чтобы не пропало. Ну, так я слушаю. Диктуйте номер...»

— То ли мама специально избегала называть этого человека по имени, то ли я по простоте своего восприятия не обращала внимания, а только так он и остался в моей памяти Гороховым, — Маша прикурила и продолжила.

Рассказ шестой

«На следующий день в 10.30 он позвонил на работу — Маша дала ему все свои телефоны, — потом в 12.00, затем в обеденный перерыв, ещё — вечером, когда она только зашла в квартиру. Следом, сразу после того, как она закончила ужинать чашкой кофе и бутербродом, и прямо перед сном, пожелать спокойной ночи...

В общем, что там говорить, — они скоро стали настоящими друзьями. Такими друзьями, что, положив трубку после очередного разговора с Гороховым, Маша уже через минуту начинала ощущать ни с чем не сравнимое желание вновь услышать его голос. Даже если бы он просто рассказывал ей один и тот же анекдот, она готова была слушать его часами. Она начала бояться, что сходит с ума. А однажды, когда в её телефонном аппарате что-то треснуло и он отключился, оно так чуть и не произошло. И произошло бы, если бы Маша, посреди ночи — а в тот раз их разговор сильно затянулся, — не разбудила громким стуком в дверь соседней квартиры ничего не соображающего спросонья Математика. И не заставила его наладить аппарат, не обращая внимания на его ехидные замечания и совершенно неуместные шутки.

На переполнявшие её чувства уже не хватало тех слов, которыми Маша обычно комментировала себе же свою жизнь. И слова изменились до неузнаваемости. Из коротких чётких фраз они преобразились в причудливые метафоры. Их смысл она сама не всегда понимала до конца. Но своим скрытым от взора реальности смыслом они были созвучны её чувствам и мыслям на тот момент. Все эти нежные, пропитанные теплом и печальной радостью слова она писала Ему. Писала, но никогда не говорила. До того дня, когда весь мир перевернулся вверх тормашками, но... это случилось много позже. А пока:

«Реальность проявляется там, где начинают ускользать слова».

...такие строки появлялись на страницах её дневника.

И казалось, нет в мире ничего более прекрасного, чем знать, что на свете есть единственный близкий человек. С ним ты можешь разговаривать не только разумом, но и сердцем...

Всю свою сознательную жизнь Маша пользовалась словами. Она извлекала из них пользу. «Польза вербального отражения ума» — написала она как-то в своём дневнике. «Разум, отражающий удары потенциального врага. Разум — щит, разум — партнёр. Разум, защищающий сердце и душу. Разум — плащ супергероя, не допускающий дальше ограниченных им пределов вредное воздействие... Слово — идеальное, непобедимое, высокотехнологичное наисовременнейшее его оружие. Стройное, тактически и стратегически продуманное сочетание отточенной иронии, не позволяющее ранить тебя. Броня, которой не страшны внешние воздействия. Пирамида, защищающая сердце... Склеп для истины».

Никто не догадывался, какова была Маша на самом деле. Этого не знал ни Математик, ни даже, пожалуй, она сама.

Но сейчас, впервые в жизни, она писала, не задумываясь, какое впечатление это произведёт. Ей не было дела ни до кого. Слова изливались на бумагу, и никакой разум, никакой здравый смысл не имели значения и не ставили никаких барьеров. Так можно писать только сердцем. И только сердцу. Только тому, кто такой же, как ты. Кто не ранит тебя, ибо нельзя ранить собственное сердце.

«Я перестала ПОЛЬЗОВАТЬСЯ словами и... для меня началась ИСТИНА СЛОВА. Я больше не записываю мысли, подбирая словесные формулировки. Я не пишу СЛОВА. Я пишу СЕБЯ. Я пишу ТЕБЯ...»

Когда она записывала эти строки, ощущение не было пронзительным. Скорее благодатным. Снизошедшим. Необъятным. Что-то огромное, включающее всё и... ничего. Совершенно необъяснимое... Что-то, что не выскажешь, хотя и ощущаешь... Не нарисуешь, хотя видишь... Что-то необычное... Маша разрыдалась, как девочка. Слёзы освобождали. Впервые в жизни она плакала и понимала, что плачет от счастья...

...Время шло. Бежало, летело, искрилось, пронзаемое стынущим с каждым днём всё сильнее Ветром — наступали холода. Маша не видела и не ощущала этого. Но как-то незаметно в словах её сердца стали проявляться образы, которых разум, обременённый здравым смыслом, старался всячески избегать...

Я спешу к тебе,
Стирая
Ночи перламутр,
Каблуками с тротуаров.
Утро...

Я вхожу к тебе
Тихонько
И смотрю в лицо.
Как цветочным благовоньем,
Всё одето сном.

За окном рябит рассветом,
Я стою в тиши,
И срываются сонеты
С любящей души...

«Кому и зачем нужно было устраивать всё так, чтобы люди, ДОЛЖНЫЕ *быть вместе, не могли даже встретиться? — часто задавалась она вопросом. — Неужели в великой природе нашлась беспричинная нужда разделить людей?»*

И чем глубже проникала в неё мысль о невозможности увидеть самого близкого на свете человека, тем печальнее становились слова её сердца...

За пределами этой равнины
Есть тёплые нежные дни.
За стылостью этих снегов
Есть радуга, вереск и зов,
Есть сумрак, полёт и огни,
Но меня не бывает с ними.

А потом, сливаясь и разветвляясь одним им известными путями, слова сердца добрались до разума, осветив безграничную пустыню страдания...

слова
за которыми
душ слияние
и в горе и в радости
в любом состоянии
тел
кто посмеет
хотением чего-то отдельного
оказаться наедине
с тем
что
подобно смерти
последний акт посвящения

традиционно требует концентрации
сравнимой лишь
с возрождением к жизни
исходных правил движения...

Она оказалась на грани отчаяния...»

Рассказ седьмой

«— ...Шут ты, Горохов, честное слово! Простые вещи представляешь так витиевато, — разговор шёл уже давно. — Когда я слышу тебя, я счастлива, я всё понимаю и верю тебе, но...

— Если любовь достаточно сильна, ожидание становится счастьем.

— Да, но в том случае, если ожидание оправданно. Прости, это неверное слово. Я хотел сказать, если есть надежда...

— Зачем нам надежда? У нас уже есть то, что для многих на этой планете так и останется тайной.

— Да, я знаю. Но оно как бы само по себе у каждого. Всё должно быть вместе, едино.

— Безоблачное «забудь»...
И пасмурное «прости»...
Каплями дождь, как ртуть,
На нитях пустых паутин.
Путаясь в слабости дня
И злясь над гримасой ночи,
Ты вновь убежишь от меня
В безумье простых величин.

— Что это?

— Это стихи.

— Стихи? Чьи?

— Не помню имени... Кто-то из древних, кажется.

— «В безумье простых величин»... Ты считаешь, я безумна?

— Нет. Ты взвинчена, опасна и неподражаема. Я бы научился ходить на ушах, если бы знал, что это поможет разрушить Стену!

— Я хочу быть с тобой, — сказав это, Маша ощутила некое подобие покоя — тишину.

— Я тоже. Но что мы можем сделать — Стена непреодолима!

И как затишье перед бурей сменяется взрывом стихий, так тишина вдруг обрушилась лавиной льда и снега на её маленькое хрупкое сердце.

— Но ведь так нельзя. Невозможно! — она сорвалась на крик.

— Да, чёрт побери, невозможно! Но это так! Не я придумал этот мир. Я, так же, как и ты, как и любой другой человек, понятия не имею, почему всё устроено так, а не иначе...

Маша чувствовала, как что-то обрывается у неё в груди под тяжестью неизбежного холода. Ярость и обречённость стегнули стальным кнутом по сердцу и лёгким. Она отвела трубку от уха. И пристально посмотрела на неё, как в жерло потухшего вулкана...

А.Торов

Из динамика слабо доносился его голос. Она отвела трубку ещё дальше — голос стал слабее. Ещё и ещё... А потом взгляд её упал на провод, выходивший из телефонного аппарата. Тот лежал на полу, ядовито свернувшись кольцом. «...и змея проглотит свой хвост; и будет вечною Стена...»

Маша наклонилась, свободной рукой сгребла провод и с силой дёрнула его на себя.

Как я тебе уже говорила, в Городе, где жила Маша, Ветер всегда дул с севера на юг. И его дуновение приносило с собой что-то зловещее и холодное, но в то же время дающее уверенность.

А в другом, где Ветер дул с юга на север, в воздухе всегда ощущался обманчивый вкус надежды и связанной с ней нерешительности...

Положив трубку на рычаг обескровленного аппарата, Маша ощутила безграничную пустоту. Пустоту, которая образуется только после того, как заполнявшее всю душу отчаяние вдруг лопается, как мыльный пузырь.

Мысль о том, что единственное, ради чего она теперь могла жить, никогда не случится с нею, была невыносима...

«Улица, где я живу, в солнечные дни похожа на миниатюру, выполненную кистью старого художника...

А в густые безлунные ночи она похожа на замковую анфиладу, в пугающих тенях которой прячутся волшебные существа. Ты идёшь вдоль домов, и кажется, что они смотрят вслед и переговариваются друг с другом на каком-то космическом языке, я слышу их даже сквозь Ветер...»

В голове проносились его слова, пока она, сама не замечая, что делает, выходила из дома на улицу.

Сразу ощутив привычную упругую силу Ветра, тело автоматически среагировало и слегка наклонилось ему навстречу.

«На моей улице есть маленькая лавка удивительных и самых ненужных на свете вещей. Иногда я провожу там час или два, просто разглядывая всякую всячину и представляя, какой затейливый путь мог проделать любой из выставленных там предметов, прежде чем попал сюда...»

«Сувенирная лавка! — вспомнилось Маше. — У нас тоже есть такая». На мгновение она увидела себя стоящей перед ней и появляющуюся из-за угла фигуру незнакомого мужчины... «Пусть... пусть там не будет удивительных и самых ненужных на свете вещей...»

«Первый переулок направо. Потом — во внутренний двор большого дома на параллельной улице. Быстрый переход наискосок через сквер, подземный пе-

реход, ещё один переулок — и выскочишь, немного не доходя до лавки, с наветренной стороны. Последние метры Ветер сам поможет преодолеть с лёгкостью, с какой только и можно представить себе движение по воле Ветра. Ах, если бы всё в мире делалось с такой же лёгкостью!»

Чтобы дойти до лавки без помех, минуя преграды, чинимые Ветром, нужно было начать двигаться в противоположную от неё сторону.

«Я не могу идти... но хочу быть там и смотреть на витрины, и представлять, что ты тоже смотришь на них сейчас... иначе я сойду с ума... но если я пойду как обычно, то никогда не увижу тебя там, потому что это невозможно... если же я просто пойду туда прямо, против Ветра, то никогда не приду туда, потому что это... тоже невозможно... но я должна сделать хоть что-то!»

Пустота хороша уже тем, что её можно заполнить по своему усмотрению. Или... Некто заполнит её по-своему.

Кто-то потом назовёт это «последним актом отчаяния», кто-то «мужеством», кто-то «негасимым стремлением»... К Шуту их всех! Все они заблуждаются. Есть намерения, отсутствие объяснений которым и есть единственный способ их реализации.

Маше казалось, что Ветер — это не ветер, а неукротимое дыхание вечной Стены. Она на миг ощутила безумную слабость перед лицом этой неумолимой силы. Отчаяние, выросшее в ней до пределов человеческих возможностей, перерастало само себя. И вдруг... то ли любимый голос, как ей показалось, зовущий за собой, или тот самый некто — но вместо того чтобы разлететься на миллионы маленьких капель под тяжестью Ветра, сердце девушки вдруг замерло на миг и, перестав сопротивляться, пропустило его сквозь себя...

По привычке чуть наклонившись вперёд, Маша шла вниз по улице в сторону лавки сувениров. Туда, откуда секунду назад дул Ветер. Не встретив сопротивления, он проник в неё и, не задержавшись, улетел дальше, как не был.

Булочная справа... Так вот откуда до её окон по утрам доносился запах свежеиспечённого хлеба! Булочник каждое утро заносил ей пряный вкусный батон, в мякоть которого проваливались пальцы, и сложным маршрутом возвращался к себе в пекарню. Он любил Машу. Она это знала. Но в булочной никогда не была: чтобы попасть туда, ей пришлось бы обойти половину Города — так неудобно она располагалась по отношению к Ветру.

«А я так скучаю по запаху свежего хлеба по утрам. Бабушка, пока ещё была жива, часто готовила его

сама. Но она давно умерла. А булочная хоть и недалеко от меня — запаха я не чувствую — его уносит Ветер...» — вспомнила она слова Горохова.

До лавки был всего квартал — она прошла его за пару минут. Можно было бы сказать, что мысли путались. И они наверняка бы путались, если бы были.

Уже стоя перед витриной, она продолжала не думать. Даже не вглядывалась внутрь, где на полках за стеклом красовались «самые ненужные вещи на свете».

В ней медленно, как батисфера из океанских глубин, поднималось решение. Поэтому она даже не заметила появившегося из-за угла здания мужчину. Она также не заметила, как он остановился невдалеке от неё, прикрывая лицо от Ветра высоким воротником пальто. От Ветра, которого больше не было. Протянув руку, она вывела пальцем на пыльном стекле: «Горохов, я иду...»

— Маша?! — воскликнул кто-то у неё за спиной...»

* * *

— Слушай, что-то я не понял, так был ветер или нет?

— А Трансляция была сегодня или нет?

— Была.

— А для тебя?

— Нет. Но это не одно и то же. Ветер, он всё-таки...

— Повторить спор Математика с Философом, или сам догадаешься?

— Всё равно, это как-то...

— Невозможно. Да, я в курсе. Мама рассказывала. Так же невозможно, как невозможно было для тебя оказаться вне Трансляции всего несколько часов назад.

— Так что же получается, они жили в одном Городе?

— А ты как думаешь?

— По логике, вроде так.

— Ты думаешь, что важно именно это?

— Ладно, Шут с ним. А дальше что было?

— Дальше? Дальше они поцеловались и жили долго и счастливо.

— Да ладно!

— А почему нет? Не веришь, что люди могут быть просто счастливы? Хорошо. Я облегчу тебе муки мыслительного процесса. Они поцеловались и жили счастливо, но недолго.

— Почему?

— Ну ты...

Резко открывшаяся входная дверь оборвала Машу на полуслове. На пороге стояли два офицера с нашивками Службы Контроля на рукавах.

Первый, высокого роста, сделал два шага вперёд и, обращаясь ко мне, протянул пластиковый конверт.

— Приносим извинения за нарушение границ частного покоя. Срочная конфиденциальная доставка.

«Как же! — моментально подумал я. — Вот только доставка чего?» И тут же в продолжение собственных мыслей услышал Машин вопрос:

— Доставка нам или доставка нас?!

— Простите, вы должны ознакомиться с документом.

— А если я не умею или не в состоянии читать?

— Инструкцией предусмотрено прочтение документа вслух.

— А если я ещё и глухая?

— В этом случае комиссия определила бы иной способ доведения информации до вас. — Мне показалось, он пошутил, но, взглянув на его лицо, я понял, что это не так. — Ознакомьтесь с документом.

— Можно даже не открывать. Они не уйдут без нас.

— Откуда ты знаешь?

— Я уже был клиентом этой доставки.

— Дай мне, — Маша вскрыла конверт и прочитала: «Вы приглашаетесь на семинар по проблеме преодоления Казуса. В целях сохранения информации — явка осуществляется немедленно в сопровождении офицеров Службы. Заранее благодарим за помощь».

— Там ещё сноска должна быть...

— «Прочтение данного документа накладывает на вас юридические обязательства по статье 32/3 Общего Свода Правил»... Что это значит?

— Это значит, что они могут делать с нами всё, что захотят, и юридически это будет оправданно, — быстро ответил я, пока один из офицеров открывал рот для ответа.

— Что значит «всё, что захотят»? И что это за статья 32/3?

— Регламент дел государственной важности.

— А если мы просто откажемся?

— Я так и сделал тогда.

— И?..

— Очнулся сразу на «семинаре».

— Но ведь в этом приглашении нет ничего конфиденциального! — В Машином голосе появились звенящие нотки.

— Действительно нет. Это пустышка, повод. Но юридически прикрытый. Так они обеспечивают «правильную» статистику ИП.

— Ты... — она покосилась на пришедших.

— Плевать. Они дуболомы. Если нас цапнули, то теперь уже всё равно, поверь мне, — и добавил более спокойно: — В каждой ситуации есть свои преимущества... У нас есть время? — уточнил я у офицеров.

— Инструкция предусматривает десятиминутную квоту на личные нужды, — совершенно ровным голосом ответил тот, что постарше.

— Вы не возражаете, если мы осуществим своё право на десятиминутную квоту совместно? А то вы перебили нас на самом интересном месте.

— Возражений нет! — В любой другой ситуации это было бы смешно.

— Пойдём, — вставая, я тронул Машу за локоть.

— Куда? — она уже успела впасть в лёгкое оцепенение.

— В ванную. Давай.

Я практически потащил её за собой.

Оказавшись в ванной комнате, я запер дверь. Я знал, что они всё равно будут слышать нас. Деться нам было некуда. Но одно отсутствие этих мерзких рож перед глазами уже облегчало положение.

— Слушай меня, слушай, — быстро заговорил я, взяв Машино лицо в ладони. — Семинара никакого нет. Тебя посадят в бокс. Одну. С этого момента мы подопытные. Не знаю, что им на этот раз нужно. Возможно, это как-то связано с Трансляцией. Не сопротивляйся. Чем меньше сопротивление — тем быстрее они теряют интерес. Я найду тебя. Обязательно найду тебя после того, как всё закончится. — Собственные слова показались мне малоубедительными. — Обещаю, слышишь?! Я обещаю! Где бы мы ни оказались — я приду к тебе.

Что-то в её лице поразило меня до самого сердца. Я видел, точнее, чувствовал, как что-то расслабилось у неё внутри. Спазм, превращающий живую плоть в стальную проволоку, отпустил. Лицо стало бледным, без кровинки, но оно светилось. Светилось спокойствием.

— Ты — Принцесса, — прошептал я, целуя её в щеки и глаза. — Ты единственная настоящая Принцесса. Я, дурак, недостоин тебя, но ты простишь мне это потом, правда? Скажи, что простишь.

— Да.

Её голос был настолько тих, что, казалось, звучал с другого края галактики, но в нём было всё. И печаль, и радость, и власть, и преклонение. Она ДЕЙСТВИТЕЛЬНО была Принцессой. Я ещё раз поцеловал её и открыл дверь.

— Мы готовы...

* * *

— К чему был весь этот спектакль?

— Мы волновались за тебя.

— Мы?

— Хорошо. Я волновался.

— Я не давала повода.

— Мы давно не виделись.

— Как мама?

— Нормально.

— Передавай привет.

— Не зайдёшь?

— Нет. Так что за острая нужда была в столь эффектном выходе?

— Просто хотел поговорить.

— О чём?

— Ты с кем-то встречаешься?

— Ах, в этом дело! Понятно. Ну и?

— Это не лучшая для тебя партия.

— А какая лучшая? Ваша партия шутов, что ли?! Долго вы ещё, кстати, собираетесь пудрить людям мозги этим шутовством?

— «Шут» — всего лишь символ, взятый из древней системы гаданий. Ноль — это всё и ничего, и одновременно способ обращения одного в другое. Это самоирония, напоминание о великой шутке тем, кто оказался по любую сторону от него...

— Начинается! Мне это не интересно.

— Аналитики давно пришли к выводу, что Человек Чувственный должен постоянно держать в напряжении весь спектр своего восприятия. Доходя до предельных величин, обострённое восприятие должно осуществить скачок...

— Должно? То есть ты не знаешь, осуществит оно его или нет?

— Должно.

— Понятно. И на это «должно» ни вашей, ни твоей личной Методологии уже не хватает, правильно я понимаю?

— Отчасти.

— Знаешь, что я тебе скажу... Для таких ситуаций в далёком прошлом, о котором вам известно больше, чем мне, как я понимаю, существовало отличное определение: Чудо!

— Ты права, но...

— Без но! Вы настолько хорошо научились принимать всё, что в состоянии объяснить чувственным восприятием, что, может быть, уже пришла пора научиться принимать вещи, лежащие за его гранью, куда вы так и стремитесь. Может быть, ещё не побывав там, вам следует принять их как естественное положение вещей в мире. Возможно, принять — это и есть побывать. А всё, что для этого требуется, — лишь желание и мужество его исполнить? Такое в вашей Методологии не предусматривается?

— Естествознание подразумевает под собой использование строгих алгоритмов, а то, о чём ты говоришь...

— То, о чём я говорю, — самый естественный из естественных актов познания. Он говорит о том, что всё, что проявилось в мире, не важно — чувством, предметом, мыслью, любой абстракцией, — существует! И методики здесь ни к чему. То, что вы называете предельно малой величиной, — и есть самая что ни на есть универсальная ходячая методика — человек! Что на небе, то и на земле — вот принцип проявления мира через себя самого. Но это не цикл, не круг, о который вы споткнулись, пытаясь ухватить истину за хвост, — это вечность. Вечность во всём многообразии своего течения. Посмотрите вокруг! Мир, из которого ушла поэзия!.. Ты же разумный человек! Тысячелетиями существовавшая традиция вдруг начала хиреть и сгинула во тьме веков. Её победила ваша методология. И в то же время, когда вы праздновали победу, порочный круг замкнулся. Потребовались столетия, чтобы вы узнали о том, что сами себя заперли в ловушку. Вы дали такое сильнодействующее средство богу-отцу, что его дети появлялись на свет уже импотентами. Да ещё и не зная матери. Конечно! Душа никак не вписывалась в алгоритмы. Проще было переналадить все эти ваши потоки и запустить всё по новой. Только вы забыли сообщить людям о том, что оставили их сиротами во тьме, без истинной любви. Чьи лавры не давали вам покоя, Дарвина, что ли? Сколько веков вы наблюдали за «естественным отбором» и так называемой «эволюцией»? Где та лошадь, которую труд должен был превратить в человека? Сейчас и лошадей-то нет! Здесь, кстати, тебе полагалось улыбнуться. Но у тебя настолько жалкий вид тела и мыслей, что даже такие маленькие радости, как смех, покинули тебя! Посмотрите, во что вы превратили мир! Не вы отменили Душу росчерком пера — её слопали дельцы. А PR направлен не на исследования пути, а на поиск более эффективных средств столь любимого вами чувственного восприятия. Вот что вы наделали!

— Я-то что могу изменить?

— Ты? Ничего! Хочешь — принимай, хочешь — не принимай свою судьбу, но она уже состоялась. Ты старик, и дело не в возрасте. Ты старик в том, чего, по вашему же указу, нет и быть не может. Естественный ход вещей в мире необратим, в отличие от вашей универсальной методологии естествознания. Точнее, она тоже необратима. Но она конечна. И единственное, что может сейчас радовать твою старую душу, — это то, что ты имеешь возможность чувственно пережить этот конец. Уж прости меня за мой неоправданно злой сарказм. И прощай... Да, чуть не забыла. Это тебе.

Он взял из её руки листок бумаги:

створки распахиваются
выбрасывая пламя
нюансы ближнего боя
словами
не описать
и как знать
что было бы с нами
будь всё описано
подробно и досконально
проверять не станем
тем более что опыт подобного рода
не передается
человеческой хитростью или
божественной мудростью
он ближе к животной чувственности
природе
и её же инстинктами перенасыщен
ты чуешь
нас ищут
и нас
не находят — было написано на нём.

Когда Шут поднял глаза, в комнате уже никого не было. Постояв в нерешительности ещё минуту, он вызвал к себе двух сотрудников Службы Контроля, ожидающих за дверьми.

— Сто двадцать восьмой закрыть. Продолжение исследований по теме нецелесообразно. Результат достигнут. Поздравьте от моего имени сотрудников и переведите их вместе с подопытными в сто двадцать третий блок для адаптации. Далее распределить согласно штатному расписанию. Подопытных выпустить. Всё. Свободны. И ещё... Последних двоих отпустить сразу. Они являются носителями важной информации. Выполняйте.

Офицеры вышли.

* * *

Мы сидели в номере.

«...Но он так и не смог поверить до конца и попытался вернуться в «свой» город. Но Ветер, ты же помнишь, он всегда. И он сбил его с пути. Он ушёл из нашего города, но никогда не вернулся в свой. Канул... У Маши от него на память остался замечательный подарок. Только узнала она об этом не сразу, а чуть позже. И через положенное количество месяцев родила

красивую, умненькую, маленькую Принцессу. И назвала её... Как? Правильно. Назвала она её Машей. Вот и сказочке конец, а кто слушал — молодец!»

— «Мы все Маши!» — сказала я ей тогда, и мы ещё долго смеялись, пока я не заснула. А когда проснулась, мамы уже не было. И больше её не было никогда.

— Как это?

— Она пошла за ним. Хотела найти.

— За кем?

— За Гороховым, разумеется. Она безумно любила его.

— Ты меня окончательно запутала. Это же была...

— Сказка, ты хотел сказать? Сказка ли? Имеет значение только то, что мы чувствуем. А чувствуем мы то, что происходит, понимаешь?

— Нет.

— Он ушёл в мир, где дует Ветер безысходности и «вечною будет Стена». Он верил маме, но вера не даёт знания. Зато часто обрекает людей хоть и на мужественные, но порой опрометчивые и бестолковые поступки. А его вера окрепла настолько, что ему показалось, что он готов. Что пора. И он вышел навстречу Ветру, и... тот сбил его с пути. Мама знала, что рано или поздно так произойдёт. Потому что он не мог примириться с тем, что там, где он сомневался, она победила. Она не могла и не хотела удерживать его. Но она любила. Всем своим сильным и свободным сердцем. И она отправилась на поиски. Но чтобы найти, ей нужно было двигаться по его следам. А это означало — вновь встретиться с Ветром и там, на замысловатых кругах жизни, приблизиться к Стене и преодолеть её. Она была свободна и знала истину, но в мире, где господствовала Стена, — это не было преимуществом. Лишь давало шанс. Маленький и смертельно опасный шанс. Мне сказали, что она ушла из Города. Глупые люди. Я не стала объяснять им, что идти некуда. Мама была мужественным человеком. Она сковала себя, лишила едва обретённой свободы ради единственной любви. Большего она не могла для него сделать. Она знала, что Стены не существует, но пошла преодолевать её. Что тут скажешь...

Да. Вот ещё что... Те Математик с Философом... Они, оказывается, работали в одной конторе, и мало того, сидели друг от друга всего в трёх метрах, за соседними столами. Когда Маша увидела это, она пришла к ним и всё рассказала. И знаешь что? Они ей не поверили. Посмотрели друг на друга, как через пелену, и тут же один взялся набирать номер другого... Можешь поверить?!

Я молчал.

— Вот такая вот карусель! — она весело засмеялась. Потом посмотрела на меня очень нежно и добавила: — Шут — мой отец. Маша нашла его. Ты же помнишь? Мы все Маши... — она улыбнулась.

— Но ты ведь уже знала это?

— Да. Всегда. Моя фамилия...

— Горохова! Вот я старый кретин! Аналитик чёртов! А ещё всегда считал себя интеллектуалом. Это же было перед самым носом!

— Как всё и всегда. Перед всеми носами, — она рассмеялась.

— Тебя поэтому перевели?

— Отчасти.

— Думаешь, теперь что-то изменится?

— Вряд ли. Да и зачем? Люди не меняются.

— Невесело как-то.

— Но и не грустно. Что важнее, я считаю. Что нам за дело до остальных?

— Как ты думаешь, люди полетят когда-нибудь в космос?

— Нет.

— Ты так уверена?

— А зачем? Люди всегда хотят полететь в космос. Так же, как они хотят, чтобы солнце вставало каждый день.

— Да, но солнце встаёт каждый день.

— Солнце на своём месте. А космос — это не место. Это лишь квинтэссенция наших желаний. Обречённых. Невозможных...

— Стена?

— Стена. Но мы на своём месте. Мы такие, какие есть. А обобщения — хреновый путь познания. Знаешь, зачем вообще нужен этот пресловутый космос?

— Надежда.

— Нет. Банально. Космос — это образ бесконечности. Им мы и удовлетворяемся. И ты прав — если есть бесконечность, значит, где-то там есть и надежда. Но бесконечность — лишь мера. Образ. Шутка. Шут. Ноль. Всё или ничего. На всё — все согласны. А на ничего? Бесконечность — мера нашего мужества... Хочешь, скажу, в чём на самом деле ключ к пониманию пророчества?

— Никто и ничто, два из одного; не достигнет другого; будет вечною стена; но будет познана слабостью; и всё станет вновь; и змея проглотит свой хвост; и будет...

— Смотри-ка, запомнил. Смело могу сказать тебе, в чём секрет, — тебе не воспользоваться им, поверь мне. В противном случае рано или поздно ты отправишься на поиски Стены. И я не захочу удерживать тебя. Но не смогу не отправиться за тобой, напоследок рассказав нашей дочери красивую и печальную сказку. И когда-нибудь я коснусь Стены, которой нет, и сольюсь с ней, застряв между мирами. И до конца дней буду слышать только печальную песню неприкаянного странника. Твою песню. Доверься мне. Существо, оставившее это пророчество, живёт на другом краю столь желанного всеми космоса.

Секрет прост: это пророчество оставила женщина.

Содержание

Литературно-художественное издание

АКУШЕР-ХА!
ПРОЗА Т. СОЛОМАТИНОЙ

Соломатина Татьяна Юрьевна
ОТ МУЖСКОГО ЛИЦА

Издано в авторской редакции
Выпускающий редактор *О. Дадаева*
Художественный редактор *Г. Федотов*
Технический редактор *Г. Романова*
Компьютерная верстка *И. Кондратюк*
Корректор *Е. Сербина*

ООО «Издательство «Эксмо»
127299, Москва, ул. Клары Цеткин, д. 18/5. Тел. 411-68-86, 956-39-21.
Home page: **www.eksmo.ru** E-mail: **info@eksmo.ru**

Өндіруші: «ЭКСМО» АҚБ Баспасы, 127299, Мәскеу, Клара Цеткин көшесі, 18/5 үй.
Тел. 8 (495) 411-68-86, 8 (495) 956-39-21.
Home page: www.eksmo.ru . E-mail: info@eksmo.ru.
Қазақстан Республикасындағы Өкілдігі: «РДЦ-Алматы» ЖШС, Алматы қаласы,
Домбровский көшесі, 3«а», Б литері, 1 кеңсе. Тел.: 8(727) 2 51 59 89,90,91,92,
факс: 8 (727) 251 58 12 ішкі 107; E-mail: RDC-Almaty@eksmo.kz
Қазақстан Республикасының аумағында өнімдер бойынша шағымды Қазақстан
Республикасындағы Өкілдігі қабылдайды: «РДЦ-Алматы» ЖШС,
Алматы қаласы, Домбровский көшесі, 3«а», Б литері, 1 кеңсе.
Өнімдердің жарамдылық мерзімі шектелмеген.

Подписано в печать 28.11.2012. Формат 80×108 1/32.
Гарнитура «Прагматика». Печать офсетная. Усл. печ. л. 16,0.
Тираж 10 000 экз. Зак. № 4028.

Отпечатано с электронных носителей издательства.
ОАО «Тверской полиграфический комбинат». 170024, г. Тверь, пр-т Ленина, 5.
Телефон: (4822) 44-52-03, 44-50-34, Телефон/факс: (4822) 44-42-15.
Home page – www.tverpk.ru Электронная почта (E-mail) sales@tverpk.ru

ISBN 978-5-699-60408-1

9 785699 604081 >